GWYNT Y DWYRAIN

I Alwen, Deio, Ifan a Gwenllian
ac er cof am Maurice James, athro ysbrydoledig.

GWYNT Y DWYRAIN

ALUN FFRED

Diolch:

i Alun Jones am ei anogaeth

y golygyddion, Meleri Wyn James, Marged Tudur
a Huw Meirion Edwards am awgrymiadau lu

gwasg y Lolfa am ei gofal

ac am oriau o bleser i
W.O. E.M.H. J.R.T. E.W.J. D.O. T.Ll. J.E.W. R.B.W. E.T.D. G.B.

Argraffiad cyntaf: 2023

Cynllun y clawr: Sion Ilar

Rhif Llyfr Rhyngwladol: 978 1 80099 484 3

Dymuna'r cyhoeddwyr gydnabod cymorth ariannol
Cyngor Llyfrau Cymru

Cyhoeddwyd ac argraffwyd yng Nghymru
ar ran Llys Eisteddfod Genedlaethol Cymru gan
Y Lolfa Cyf., Talybont, Ceredigion SY24 5HE
e-bost ylolfa@ylolfa.com
gwefan www.ylolfa.com
ffôn 01970 832 304

'gwynt y dwyrain, gwynt traed y meirw'

Y dydd cyntaf

Yn ei wely cynnes un bore Sul agorodd Idwal Davies ei lygaid i su tonnau'r môr yn anwesu'r creigiau y tu allan a throdd yn reddfol i afael yng nghorff cynnes Llinos ei wraig, fel babi yn rhoi ei fawd yn ei geg am gysur. Gyda lwc câi gêm o golff a chinio yn y clwb. Peint neu ddau efallai. Neu anghofio'r golff wrth gwrs. Chadwodd y dewis mohono'n effro yn hir. Dechreuodd chwyrnu'n ysgafn a llithro'n ôl i freichiau cwsg.

*

Y ddwy goes noeth a'i dychrynodd. Cwympodd y blodau carneshiyns o'i llaw a chrafangodd am y wal gyda'r llall rhag iddi hithau syrthio i'r llawr. Cipiodd ei gwynt. Trodd ei llygaid yn araf unwaith eto a chiledrych i lawr y llwybr a redai gyda wal yr hen fynwent heibio i lwyn celyn blêr. Doedd golwg yr hen wraig ddim yn dda ond roedd un cip yn ddigon. Troes yn ôl. Edrychai'r llwybr graean drwy ran newydd y fynwent yn ddiddiwedd. Herciodd am y car a'i cheg yn agor a chau fel pysgodyn yn boddi ar dir sych. Edrychodd i fyny a gweld tŷ solet Brynhyfryd ar ben yr allt. Fe wyddai beth i'w wneud.

*

Cododd Robert Hughes ar ei eistedd yn ei wely wrth glywed ei wraig yn cerdded i fyny'r grisiau. Rhedodd ei fysedd drwy ei wallt gwyn i'w ysgubo o'i lygaid.

"Panad."

"Diolch. Fysat ti ddim yn agor y cyrtens, gwael?"

"A pwy oedd dy forwyn di llynadd?" atebodd Gwerfyl wrth dynnu llenni trwm Melin Bryncir i'r naill ochr. "'Di rhewi eto." Edrychodd i lawr yr allt i gyfeiriad y pentref. "Be mae car Katie Jones yn 'i neud wrth y fynwant mor fora?"

Syllai Robert Hughes allan ar y gweundir o rug a brwyn roedd y barrug wedi ei droi'n lliain gwyn dros nos. Roedd ei feddwl ymhell. Stopiodd ei wraig wrth ddrws y llofft ac ateb ei chwestiwn ei hun.

"Mae'n ddeg mlynadd ar hugian, tydi. Ers i Gwion farw."

"Gymint â hynny? Ti'n siŵr?"

"Ro'n i'n cario Delyth ar y pryd. Siŵr iawn 'mod i'n siŵr. Grydures."

Edrychodd Robert Hughes ar y cloc fel pe bai'n elyn iddo ac estynnodd am ei de. Clywodd gar yn tuchan ei ffordd i fyny'r rhiw mewn gêr rhy isel o'r hanner. Stopiodd y tu allan. Caeodd ei lygaid. Daeth lleisiau pryderus a rhyw gythrwfl o'r gegin cyn i'w wraig weiddi, "Bob, Bob! Tyd yma. Brysia."

Roedd Katie Jones wedi drysu gan ofn.

"Mi ddoth â'r cwbwl yn ôl i mi... y cwbwl... Mrs Hughes bach... Do'n i'm yn gwbod lle i droi..."

Wedi taro'r gôt agosa amdano brasgamodd Robert Hughes i lawr yr allt, trwy giât y fynwent ac at yr agoriad yn y wal i'r hen fynwent. Camodd dros y blodau ar wasgar hyd y graean ac edrychodd ar hyd y llwybr a ddilynai'r hen fur ar y dde iddo. Ugain llath o ble safai roedd dwy droed yn pwyntio am i lawr tua deunaw modfedd o'r llawr. Cerddodd yn araf tuag atynt. Wrth ddod heibio'r llwyn celyn gwelai gorff merch ifanc yn gorwedd ar lechen wastad un o'r hen feddi. Rhoddodd ei stumog dro a chwydodd y Cynghorydd Robert Hughes ei berfedd wrth fôn y wal. Poerodd weddillion y llysnafedd o'i geg a rhedodd cryndod digymell trwy ei gorff.

*

Rhoddodd Llinos bwniad i'w gŵr. Roedd y ffôn yn canu yn y cyntedd. Cododd Idwal yn araf a phan glywodd neges Bob Hughes fe wyddai na thrawai yr un bêl i'r gwellt hir y bore hwnnw. A dyna sut y daeth i fod yn sefyll ger giât mynwent y plwy yn Nhan-y-graig y bore Sul hwnnw yn gwrando ar y cynghorydd gwelw yn adrodd ei stori am Katie Jones, ei mab a'r corff.

"Well i ni gael golwg felly." Camodd Idwal trwy'r porth cyn troi'n sydyn. "Ti'n siŵr 'i bod hi wedi marw?"

"Siŵr Dduw 'mod i'n siŵr. Am wn i."

"Dim ond gofyn. A wnest ti ddim cyffwrdd ynddi?"

"Naddo, be ti'n feddwl…?" meddai Bob Hughes.

"Dim ond gofyn… rhag ofn."

"Ti 'di bod yn y job yn rhy hir, Davies," a cherddodd y ddau am yr hen fynwent. Amneidiodd Robert Hughes tuag at y corff o ddiogelwch yr adwy.

"Ie, well i ti aros fanna… mi a' i i gael golwg." Syllodd y Sarjant yn hir ar y corff llonydd a orweddai ar lechen hirsgwar bedd hen ffasiwn. Roedd ychydig o waed wedi ceulo yn gymysg â'r cudynnau tywyll syth a guddiai ei hwyneb a'r llwydrew yn batrymau ar ei chôt ledr a'r ffrog ddu; esgidiau coch, dim teits, a thatŵ bach iâr fach yr haf ar ei migwrn. Cymerodd anadl ddofn a gollwng y gwynt o'i ysgyfaint yn araf gan ysgwyd ei ben mewn anobaith.

"Druan â hi… Ti'm yn 'i nabod hi, Bob?"

Ysgydwodd hwnnw'i ben, fel pe bai'n ofni gwacáu gweddill ei stumog, "Cip ges i, cofia."

"A chlywist ti ddim byd neithiwr?" holodd Idwal gan edrych i fyny tuag at gartref Robert Hughes.

Trodd y Sarjant at y bedd a mwmial dan ei wynt, "... y storm o gnawd fu iddi gynt... Parry-Williams," ychwanegodd fel esboniad. Stopiodd yn stond a phwyntio, "Be 'di hwn, 'te!" a syllodd ar y pentwr taclus wrth fôn y wal.

"Y fi... 'di rhusio a chynhyrfu, ma raid... mi ddoth allan yn un... wel, chwydfa." A chamodd Robert Hughes am y giât yn ddigon sigledig gan adael ei gyfaill i ystyried y llanast o'i gwmpas. "Ydi hi'n iawn imi fynd i newid? Capal. Fy mis i. Well i mi agor, mi fydd Meirion wedi cychwyn bellach."

"Ie, siŵr iawn. Welwn ni ti wedyn, ac mi gei roi datganiad. Unwaith bydd rhywun *in charge* yma."

"Pwy fydd o? Ti'n gwbod?"

"Na. Mae Breian o dre ar *leave*. Rhyw arolygydd o'r pencadlys efo graddau fil a dim synnwyr cyffredin, debyg."

"Well i mi fynd. Rhag ofn. Dw i'm isio siomi Meirion. Dduda i ddim byd. A mae Gwerfyl yn cadw cwmni i Katie Jones."

Edrychodd y Sarjant ar y dyn tal yn cerdded yn bwrpasol i fyny'r allt am ei gartref. O ddyn deg a thrigain mae o mewn cyflwr da, meddyliodd, gan drio anwybyddu ei anadlu trwm ei hun a'r gôt oedd yn rhy dynn am ei ganol.

Ymhen dim roedd rhubanau'r heddlu yn cau'r ffordd heibio'r fynwent a phlismyn yn cadw ambell i bentrefwr busneslyd draw. I basio'r amser wrth ddisgwyl i rywun ddod i gymryd gofal o'r ymchwiliad, trodd y Sarjant at y plismon ifanc agosa ato. "Un o ble wyt ti, 'te?"

Edrychodd hwnnw arno fel pe bai'n gwestiwn cymhleth. "C'narfon," ebychodd yn ansicr.

"Caernarfon. Un o fanno wyt ti?"

"O, na. Llanfairpwll."

"Ti'n gyfarwydd â Meirionnydd 'ma?" holodd Idwal gan ddyfalu'r ateb.

Gwnaeth y PC ryw ystum amhenodol.

O ddiawledigrwydd penderfynodd y Sarjant fwrw mlaen. "A be am y mynyddoedd 'ma? Dyna chdi'r Moelwyn Mawr fan'cw, y Moelwyn Bach rownd y tro, y Graig Ddrwg ydi'r grib draw ar y chwith a'r Rhinoge tu draw. Tydyn nhw'n enwau tlws, PC...?"

"Lane, syr." Roedd Lane mewn panic. "Toes gynnon ni ddim... mynyddoedd yn Sir Fôn, syr."

"O, dwn i'm am hynny... ma gen ti Fynydd Parys, Bodafon a Mynydd Mechell..."

"Rhein yn mynyddau go iawn *which* dydi rei Sir Fôn ddim, na?"

"Na, na, wela i be sgen ti," a gwenodd Idwal yn glên.

Edrychodd dros y beddau ar y tir diffaith a'r llwydrew yn gorwedd ar y rhedyn a'r grug wrth i'r rhostir godi am y mynyddoedd a'r chwareli segur. Lleolwyd y fynwent uwchben pentref Tan-y-graig oedd yn gasgliad digon di-drefn o dai teras llechfaen, stad o dai cyngor ac ambell dyddyn yma ac acw ar y llechweddau. Roedd y lle wedi gweld dyddiau gwell, meddyliodd. Digon tebyg iddo fo'i hun.

Wedi rhoi dau ddyn i warchod y corff bu'n cerdded yn ôl ac ymlaen, yn bennaf i gadw'i draed rhag fferru. Y cynnwrf cyntaf oedd ymddangosiad ditectif o'r pencadlys a oedd yn amlwg yn anhapus iawn bod ei fore Sul wedi ei ddifetha. Cyflwynodd ei hun fel "DS Dave Griffiths", er mai Dafydd oedd ei enw priod fel y darganfu Idwal mewn dim o dro er mawr embaras i 'Dave'. Roedd clust Idwal yn ddigon main i nabod ei acen hefyd.

"Ti'n dod o gyffiniau Rhos uffen, wyt ti? Fues i'n gweithio yno, sti, oes bell yn ôl."

"Pen-y-cae," oedd unig sylw sychlyd y ditectif. Ond roedd ganddo newyddion. Detective Inspector Green oedd yn mynd i arwain yr ymchwiliad. Roedd yr enw'n ddiarth i Idwal ond roedd wedi hen golli diddordeb yn symudiadau diddiwedd yr uwch dîm rheoli, neu beth bynnag oedden nhw'n galw eu hunain bellach.

"Un o le ydi o?" oedd ei gwestiwn Cymreig nesaf.

"Newydd joinio o'r Met."

"O, grêt," meddyliodd Idwal. Jest y boi i Dan-y-graig. Roedd cysgod gwên ar wyneb Dave.

Cyn bo hir cyrhaeddodd y criw fforensig. Doedd dim angen cyfarwyddyd arnyn nhw i ddechrau ar eu tasgau annymunol. Uchafbwynt y bore oedd gwahoddiad gan Gwerfyl Hughes i fynd am baned o goffi i Frynhyfryd. Cafodd ei berswadio, heb lawer o berswâd, i fynd i'r tŷ o'r oerfel. Dynes fain, gwallt cwta a thipyn o steil o'i chwmpas oedd Gwerfyl Hughes. Golffwraig benigamp a chyn-gapten merched y clwb lawer gwaith, a gwell siâp o lawer arni na'i gŵr ar daro pêl golff. Doedd y Sarjant ddim yn ei nabod yn dda serch hynny. Dynes bell yn ôl llawer. Preifat meddai eraill. Tipyn o drwyn yn ôl rhai. Ond roedd ei choffi yn fendigedig y bore hwnnw. Roedd Gwerfyl yn gwaredu bod y fath beth wedi digwydd yn Nhan-y-graig o bob man, ac yn y fynwent ar ben hynny. "Ond dyna ni. Tydi hi'n fyd rhyfadd 'di mynd."

Cyn i Idwal allu meddwl am ymateb di-ddim i'r ystrydeb, canodd ei ffôn. Y Cwnstabl Huw Owen oedd yno yn ei rybuddio bod DI Green wedi cyrraedd. Llowciodd ei baned a fflamio ei fod wedi ei ddal yn llaesu dwylo. Camodd am y drws gan drio diolch ac ymddiheuro yr un pryd. *Shit*. Doedd hyn ddim yn mynd i edrych yn dda. Wrth agor y drws sylweddolodd ei fod yn ymddwyn yn anniolchgar a throdd i fynegi ei werthfawrogiad am y baned. Yn anffodus, wrth droi yn ei ruthr bachodd handlen y drws yn ei siaced gan dynnu'r drws ato'n gyflym a'i wthio yn erbyn y cilbost gan daro cefn ei ben yn galed. Rhegodd. Yn ei embaras a'i ddryswch ymbalfalodd i ryddhau ei hun gan rwygo un o fotymau ei gôt.

"Sori, damio… sori. Diolch, Gwerfyl. *Shit*! Sori."

Doedd Gwerfyl Hughes ddim wedi gweld dim byd digrifach ers blynyddoedd ond gwên fenthyg yn unig ddaeth iddi.

Dechreuodd Idwal redeg i lawr yr allt ond sylweddolodd y byddai'n chwythu fel hen fegin erbyn cyrraedd y Dirprwy gan greu argraff hyd yn oed yn fwy anffafriol. Roedd Jaguar 'sport' glas y tu fewn i'r rhuban ger y fynwent a Dave yn siarad â'r gyrrwr. Jaguar? Pa fath o blismon fyddai'n gyrru'r fath gar, meddyliodd. Tynnodd y Sarjant ei fol i mewn, sythu ei gôt a rhyw hanner pesychu. Symudodd Dave o'r neilltu a chododd merch ifanc a chanddi wallt golau mewn plethen ar ei phen o'r car.

"DI Lucy Green. Meet Sargeant Davies. Idwal Davies. A legend in his own coffee break." Roedd Dave yn mwynhau'r eiliad.

"Falch o'ch cyfarfod chi," clywodd Idwal ei hun yn crawcian.

Bu saib fer. Dydi hi ddim yn siarad Cymraeg, meddyliodd, ac ymbalfalodd am gyfieithiad.

"A fi. Ond mae fy Gymraeg i yn… *rusty*. Ysgol Creuddyn ond Saesneg ydi fy teulu. Rhos-on-Sea. *It would be easier if we communicated in English. Perhaps.*"

Allodd o erioed esbonio i neb yn iawn beth ddaeth drosto yr eiliad honno; embaras y drws ym Mrynhyfryd; ei yrfa yn dirwyn i ben ac yntau ar ben ei dennyn. Pwy a ŵyr? Ond clywodd ei hun yn dweud,

"Gwnewch chi fel liciwch chi, ond Cymraeg dw i am siarad. Ac os bydd trigolion y lle 'ma'n credu mai pobol o'r tu allan sy'n trio dal y... y... llofrudd, a dim parch atyn nhw... 'u hiaith... yna, mi fyddan nhw'n llai tebyg o'n helpu ni. Dyna 'marn i. Ond chi sy'n rhedeg y sioe."

Taflodd yr Arolygydd un cip ar Dave a oedd bellach wedi penderfynu dynwared Sffincs.

"Mae y Sarjant efo point da. *Unexplained death* mae o rŵan, 'te? Ond mae rhaid i mi gwella fy Cymraeg. *So, let's do it*. Siarad Cymraeg... *all the way*," a gwenodd ar Idwal. "Ble mae'r... *body*... corff?"

"Ie, y corff. Yn y fynwent – fel mae'n digwydd," ychwanegodd Idwal gan sylweddoli ei bod yn swnio fel jôc ddi-chwaeth.

"Mynwent... mynwent..." mwmiodd y Dirprwy.

Bu Idwal yn brysur yn trefnu rota i warchod y safle a chael fan arlwyo i ddisychedu'r criw pan ddaeth Dave ato gyda chais annisgwyl. Roedd Idwal wedi cymryd yn ganiataol mai gorsaf Dolgellau fyddai canolfan yr ymchwiliad ond roedd problem.

"Sgen ti *room* digon mawr i ni gael *base* yn y twll cwningen yne yn Porto-de-la-mer? Maen nhw wrthi'n decoretio swyddfa Dolgelle a, wedi gweld, mae'r weiering *all to cock*. Felly ma'r lle tin dros ben. Ac mae HQ yn llawn dop efo achos y *paedophile ring* yna o Rhyl. Felly chdi 'di *mine host*."

Roedd stafell fawr sbâr ar y llawr ucha fel roedd hi'n digwydd; honno wedi ei gwagio yn dilyn rhyw ad-drefniad oedd i fod i arbed arian ac 'uchafu effeithlonrwydd', mwyn tad. Ond roedd angen ei glanhau a chysylltodd gyda chwmni Quick Clean o'r dref i drefnu sgwriad sydyn. Fe wyddai bellach hefyd y byddai o a Dave yn gorfod cydweithio am sbel go lew.

Rhywbeth arall i edrych mlaen ato. Gan nad oedd ei angen ar y safle bellach roedd ar fin dychwelyd i'r dref pan glywodd rywrai yn codi eu lleisiau ar waelod yr allt. Cerddodd i lawr a throdd heddwas ifanc i chwilio am gymorth. Dros ei ysgwydd gwelai Idwal ddyn tua hanner cant, stwcyn byr pryd tywyll â mwstás a oedd yn ffasiynol yn saithdegau'r ganrif ddiwethaf, mwstás a oedd yn troi i lawr am yr ên. Roedd golwg wyllt ar y dyn.

"Sori, Sarj, ond mae o 'di myllio. Deud bod o'n gwbod bod ni 'di ffindio... corff hogan yn y fynwent a dydi 'i ferch o ddim 'di dod adre neithiwr, mae o... wel, mae o'n mynd o'i go..."

"Sut gythrel mae...? Ie, iawn, PC. Ym... tyd â fo yma." Wrth i'r dyn gael ei hebrwng draw sylwodd fod ganddo ffon, un fetel y Gwasanaeth Iechyd, a'i fod fymryn yn gloff.

"Sarjant Idwal Davies... a d'enw di?"

"Bryn... Bryn Richards. Dallt bo' chi 'di ffindio hogan... 'di marw." Roedd y dyn yn crynu drosto.

"'Dan ni ddim 'di deud dim byd, Mr Richards. Be nath i chi feddwl...?" Cwestiwn gwirion, ac fe wyddai hynny. Â phlismyn fel chwain hyd y lle roedd hi'n berffaith amlwg bod rhywbeth difrifol wedi digwydd.

"Sei drws nesa ddoth â papur i mi – dw i'n byw yn nymbyr tw Tai Cynfal – ac roedd o wedi gweld cymydog i Katie Jones. Hi welodd y..." a dechreuodd ei wefus grynu.

"Ie, ond be nath i chi feddwl mai...?"

Chafodd o ddim gorffen ei gwestiwn.

"Debbie, yr hogan 'cw, ddoth hi ddim adra neithiwr. Dim bod hynny'n beth... y... rhyfadd; weithia mae'n methu cael tacsi... aros efo ffrindia... fel mae pobol ifanc, wchi. Ond dw i ddim 'di clwad dim gynni hi... a..."

"Dim angen mynd o flaen gofid... Bryn. Mae'n siŵr o ddod

i'r fei. Disgrifiwch hi i mi." Synhwyrodd bresenoldeb rhywun arall a gweld bod Lucy Green yn sefyll ychydig lathenni i ffwrdd. Amneidiodd arno i gario mlaen. Roedd ceg Bryn Richards yn trio symud ond roedd o fel pe bai wedi anghofio sut roedd cyflawni'r dasg.

"Be ydi 'i hoed hi, Bryn?"

"Y... *twenty-four*, Hydre dwytha."

"Gwallt?"

"Y... tywyll, du. Fatha fi... fatha fi stalwm. Syth, lawr i fanna."

"Taldra?"

"Rhwbath yn debyg i fi, am wn i." Daeth rhyw ofn i'w lygaid. "Y hi ydi hi?"

Suddodd calon y plismon wrth iddo wneud rhyw arwydd amhendant.

"Be oedd hi'n wisgo, Bryn?"

Roedd y tad wedi gwasgu ei wefusau'n dynn ac yn ysgwyd ei ben.

"Does dim brys, 'chi. Jîns? Sgert?"

"Welis i moni. Do'n i ddim adra. Roedd hi 'di gadal cyn i mi gyrraedd 'nôl."

Roedd Bryn Richards yn gwelwi a gwnaeth Idwal arwydd ei fod o angen stôl neu gadair.

"Pwyswch ar y wal, ylwch. Gawn ni gader i chi 'munud. Peidiwch â styrbio. Oes ganddi hi ryw farc... man geni, 'wrach... ym... modrwy?"

"Ma gynni hi datŵ... ar 'i choes... ar 'i ffêr... llun *butterfly*. 'Iâr bach yr ha', fel bydda hi'n ddeud. Roedd hi'n licio sŵn y geiria," a llenwodd ei lygaid.

Suddodd calon Idwal ond gwnaeth ei orau i beidio bradychu dim. Roedd yn ymwybodol iawn o'r Dirprwy y tu ôl iddo. Yn ffodus, cyrhaeddodd plismon â chadair gynfas a photelaid o ddŵr i'w achub a llwyddodd i sleifio draw at Lucy Green. Trodd hithau ei chefn ar y dyn a sibrwd,

"Diolch, Sarj. Reit, ti'n gofyn ble ydi'r tatŵ... pwy coes a lle mae o *exactly*. Os ydi o'n *good fit*, a gymra i'r rap, rydyn ni'n mynd am ID yn syth. Dw i'n gwbod be ti'n feddwl ond os mae ni'n cael *positive ID* rŵan mae gan ni gwell *chance* o neilio'r dyn nath – neu'r dynion."

"Neu pwy bynnag..." cynigiodd Idwal yn wan.

Edrychodd Lucy Green arno am rai eiliadau.

"Ie, *ok*, *whatever*. Ond ti'n gwbod taw *speciality* dynion 'di hyn, 'te? *So, go on*."

Roedd y gweddill yn anochel fel yr ofnai Idwal. Fu dim angen dangos ei hwyneb. Roedd y tatŵ, y siaced a'r sgert yn ddigon. Bu'r cyfan yn ormod i Bryn a syrthiodd ar ei liniau yn beichio crio pan welodd y corff. Galwyd meddyg. Câi'r broses adnabod ffurfiol aros. Aed â Bryn adref ac aeth Lucy Green a DS Griffiths i'w ganlyn i sefydlu cymaint o ffeithiau a chefndir ag y gallent, gan adael Idwal Davies mor ddiangen â phregethwr ar ôl seremoni priodas.

Penderfynodd Idwal am yr eildro y byddai'n mynd i'r orsaf a helpu i drefnu ar gyfer trannoeth, ond wrth gerdded heibio rhai o'r plismyn fe ddywedodd air neu ddau o anogaeth; digon i un ohonyn nhw fachu ar y cyfle,

"Merch Bryn Bril ydi hi felly, Sarj? Harry."

"Harry? Pwy ddiawl 'di Harry?"

"Dyna ma'n nhw'n galw hi. Harry."

"Ti neu y fi sy'n drysu? Debbie ydi 'i henw hi."

"Ia. Debbie. Debbie Harry. Blondie. Dallt, Sarj? 'Union City Blues' a'r rheina."

"Nac dw, dydw i ddim yn dallt. Ond mi rwyt ti, Einstein, yn

mynd i 'ngoleuo i, wyt ti?" Mi fu'r sgwrs yn un hir nes i Idwal Davies ddeall y cyswllt yn iawn. Ac o ran diawledigrwydd mi ychwanegodd y jarff o heddwas, "Ac mae gynni hi frawd, Mark, wedi i enwi ar ôl Mark Knopfler, Dire Straits..."

"Ti'n trio bod yn glyfar efo fi, PC...?"

"Nac dw, dydw i ddim. Wir yr, syr."

"A be maen nhw'n galw hwnnw, 'te? Neu, 'sa well i mi beidio gofyn?"

"Jest Mark, syr."

"Diolch byth am hynny." Roedd o wedi cael digon o'r lol yma ac ar droi i fynd, ond roedd o'n methu peidio rywsut.

"Ble bydde merch ifanc fel... Debbie... yn mynd ar nos Sadwrn, bois; 'dech chi'n nes at 'i hoed hi. Huw?"

Doedd Huw ddim yn awyddus i ddeud dim, yn ôl ei olwg o. Cododd ei ysgwyddau. "Pybs yn ded a drud; ffrindia, pawb yn yfad yn tŷ, dibynnu be sy mlaen..." Ond roedd gan ei fêt cegog ragor i'w ddweud.

"Gìg yn Pen-y-Bont neithiwr, toedd. Grŵps local."

"Fuodd 'na helynt?"

"Chlywis i ddim." Huw wedi dod o hyd i'w dafod. "Dim Byd – grŵp o Tangrisia – oedd yn trefnu, dw i'n meddwl."

"Dim Byd, ie? Enw addas i'r oes, ddwedwn i," oedd sylw Idwal Davies wrth ffarwelio. "Be oedd yn bod efo Hogia'r Graig fel enw, tybed?" gan wybod y byddai'r sylw yn cadarnhau'r ddelwedd ohono fel deinosor diwylliannol. Ac fel deinosor, ffwl stop. Wrth gerdded i'r car daeth yn ymwybodol ei fod o angen tŷ bach ar frys a rhywbeth i'w fol, a gan fod y sgwrs wedi tanio'i chwilfrydedd anelodd am y Pen-y-Bont, tŷ tafarn rai milltiroedd i ffwrdd ar waelod y dyffryn oedd yn gwneud cinio dydd Sul o fath ac yn cynnal gigs o dro i dro mewn honglad o sied oedd yn sownd i'r lle.

Camodd o'i gar yn y maes parcio helaeth oedd bron yn wag y tu cefn i'r adeiladau. Roedd hi wedi codi'n braf ond yr awel yn brathu a chlytiau o awyr las ysgafn am yn ail â chymylau gwynion bratiog. Roedd yn hen dafarn urddasol o'r tu blaen gyda muriau carreg gwyngalchog. Stori arall oedd y cefn gydag estyniad ar ben estyniad yn un gybolfa. Dringodd y grisiau pren i'r bar siâp L lle roedd golygfa ddigon derbyniol o'r dolydd draw at yr afon. Roedd y lle bron yn wag y pnawn Sul hwnnw. Dau gwpwl hŷn wedi setlo mewn wrth un ffenest.

"Hope you haven't come to arrest us, officer!"

Gwnaeth Idwal ddynwarediad o wên ac anelu at ddyn mawr blêr mewn tracwisg ddu ar gongl y bar oedd yn araf grafu ei afl ac ysmygu ar yr un pryd.

"Oes rhywun yn gweithio yma?" gofynnodd.

Gwelodd lygaid y dyn yn troi ato ond symudodd o mo'i ben. Roedd croen ei wyneb yn dechrau rhydu a phlicio.

"Godfrey! Godfrey! Cops," gwaeddodd mewn llais cryglyd a chododd baced o greision a gwagio'r gweddillion i mewn i'w geg cyn ei grensian a'i daflu at y bin tu ôl i'r bar. Methodd y bin.

Prysurodd gŵr ifanc gwanllyd yr olwg rownd y gornel.

"Dydi'r bòs ddim yma. Dawal heddiw a mae o a'r wraig 'di mynd i rwla. Fi sy *in charge*." Pan glywodd hyn daeth rhyw ebychiad o grombil y dyn mewn tracwisg a dechreuodd ei gorff helaeth ysgwyd yn araf.

"Ble aethon nhw?"

"Gweld teulu, dw i'n meddwl."

Roedd Gavin O'Neill yn un o deulu mawr fel y gwyddai Idwal yn rhy dda. Doedd wybod ble i'w gael.

"Fydd o ddim yn d'ôl. Fi sy'n cloi. Fydd hi'n ded heno eniwe." Roedd Godfrey wedi dysgu ei ran yn dda.

"Oeddet ti'n gweithio neithiwr?"

"Na."

Trodd Idwal at y dyn mewn du. "Oeddet ti yma?" Roedd peint hwnnw ar ei ffordd i'w geg, a'i geg ar y ffordd i'w dderbyn. Stopiodd yn ddigon hir i ysgwyd ei ben yn nacaol a disodli peth o'r llwch creision o'i farf i mewn i'w beint.

Anelodd Idwal am y tŷ bach i gael rhyw fendith o'r ymweliad. Daeth arogl disinffectant cryf i'w gyfarfod o'r toiledau tamp, oer. Agorodd ei falog wrth gamu at y cafn pan welodd ddynes yn bagio allan o giwbicl a bwced a mop yn ei dwylo.

"Sori... wyddwn i ddim..."

"Paid poeni. Dw i 'di gweld digon o'nyn nhw dros y blynyddoedd, 'na i ddim ffeintio. Dw i'm i fod 'ma. Fory dw i'n gneud hyn. Gavin nath ofyn a deud am roi clîn iawn i'r lle pnawn 'ma. Dwn i'm pam, a cynnig tenar ecstra. Wel, fedrwn i'm gwrthod yn hawdd; tenar yn denar, tydi? Wedyn, be fedri di brynu efo tenar, 'de? Bob dim yn ddrud, tydyn. Reit, a' i o dy ffor' di i ti gael pisiad iawn." Ac allan â hi gan adael Idwal yn gegrwth ac wedi colli ei awydd i ollwng dŵr.

Dianc o'r lle oedd ei fwriad pan glywodd sŵn chwerthin o'r hen ran, stafelloedd blaen y Pen-y-Bont. Yno, o gylch hen fwrdd derw roedd criw o bobl ifanc, un bachgen a phedair merch.

"Dyw, Plismon Puw 'di cyrraedd." Roedd y bachgen yn llancio ond cafodd ei anwybyddu.

"Un ohonoch chi yma neithiwr?"

"Pwy sy'n gofyn?"

"Fi," yn rhesymol gwrtais.

"Gown ni *phone a friend*?"

Dechreuodd y ddwy oedd agosaf at y llanc giglo. Roedd yr alcopops yn siarad.

"Sut dw i'n gwbod lle o'n i, 'te, gens? *Smashed*, 'do'n, Sarj?"

Cydiodd Idwal yn y llanc a'i godi o'i sedd a'i hyrddio trwy'r drws i'r cyntedd, troi ei fraich a phlannu ei wyneb ar y pared cyn sibrwd yn dawel, "Y tro nesa dw i'n gofyn cwestiwn ateb o'n iawn neu mi restia i di am *'obstructing an officer in the execution of his duty'*. Dallt?"

Cerddodd yn ôl i'r stafell. Roedd y ddwy gigli yn syllu fel bwch ar eu poteli. Roedd y ddwy ar y pen arall wedi dychryn, a'r tro hwn cafodd wybod bod tair o'r merched wedi bod yno neithiwr. Oedd, roedd Debbie yno ac roedd un yn cofio'i gweld hi yno tua hanner awr wedi wyth ac yn siarad efo'r tafarnwr. Oedd, roedd hi i weld yn iawn, yn sgwrsio efo pawb. Na, doedd neb yn ei chofio yn gadael, ond roedd hi'n amlwg bod diod yn cymylu cof dwy o'r tair. Ac roedd y llanc yn honni ei fod yn feddw cyn cyrraedd. Cymerodd fanylion pawb a mynd â'r rheiny i orsaf yr heddlu a gadael negeseuon i Green a'r tîm y byddai'n dychwelyd. Yna diflannodd am adref yn teimlo'n weddol falch ohono'i hun.

Dilynodd y ffordd fawr allan o'r dref a throi i lawr am y môr ac i'r pentref. Dim ond ambell adyn a'i gi oedd wedi mentro allan ar y llwybr llydan a redai ar fin y traeth caregog hanner lleuad. Trodd yntau i fyny am y penrhyn agosaf a stopio'r car wrth dalcen ei gartref, tŷ carreg a safai yn edrych dros y môr llwyd, aflonydd. Bu'n pendroni beth a faint i'w ddweud wrth Llinos. Roedd hi'n disgwyl amdano ac yn amlwg heb fynd am gêm o golff gyda'i ffrindiau. Wrth hwylio paned a thorri brechdan dechreuodd yr holi. Pwy oedd hi? Oedd Bob yn 'i nabod hi? Un o'r pentre? Ac yna daeth y cwestiwn y bu'n disgwyl amdano.

"Faint oedd 'i hoed hi, Id?"

Dechreuodd wafflo nad oedd yn siŵr, ei bod hi'n ifanc, a

dechrau troi'r stori at ddigwyddiadau Pen-y-Bont. Ond ofer oedd y cyfan.

"Ti'n gwybod 'i hoed hi?"

Beth allai ddweud?

"Pedair ar hugain."

Aeth Llinos yn ddistaw, plethodd ei gwefusau.

"Y peth bach. Druan ohoni."

Doedd dim mwy i'w ddweud. Na. Y gwir oedd bod llawer rhagor i'w ddweud ond wyddai Idwal Davies ddim pa eiriau i'w defnyddio. Felly, ddywedwyd dim. Daeth y ci o rywle, ci defaid, ei dafod allan yn ubain am sylw a mwythau.

"Dos â Meg am dro, Id. Doedd gen i ddim calon a hithe mor oer. Mi ddylwn, dw i'n gwbod."

Roedd y dydd yn dirwyn i ben yn araf. Troesai ymylon y cymylau yn llwyd wrth i'r haul bylu a'r awel frathu a fferru'r gwaed ar foch a dwylo. Aeth Idwal â'r ast fywiog ar hyd traeth eang Morfa Bychan tuag at y Greigddu gan gadw'r môr ar y chwith. Trodd i wynebu'r awel a sylwi bod castell Harlech yn prysur ddiflannu yn y gwyll. Roedd un cerbyd yn wynebu'r môr wrth y twyni y tu draw i'r fynedfa i'r traeth, 4x4 du. Wrth nesu ato gwelodd mai car Robert Hughes oedd o a chododd ei law. Agorodd y ffenest a gwaeddodd y cynghorydd arno i ddod i mewn.

"Tyd â'r ci efo ti. Geith fynd i'r cefn. Hidia befo am y tywod. Falch o'r cwmni. 'Di bod yn ddiwrnod a hannar, tydi. Mae'r Bîb wedi cael gafael yn y stori ac wedi bod yn holi. Dduda i ddim nes byddwch chi'n cyhoeddi rhwbath. Dim bod 'na ddim i'w ddeud, chwaith."

Doedd Meg ddim yn hollol gytuno â'r caethiwed ond cafodd hyd i ryw gerpyn i'w racsio yn y cefn.

"Sut oedd y bregeth?"

"Gath hi ei wastio arna i, 'do. Hefo miri'r bore. Ond un da ydi Meirion. 'Di o'm yn malu cnau gweigion nac yn malu... awyr."

Yr esboniad am bresenoldeb Robert Hughes ar y traeth oedd ei fod yn dod â'i wraig ar brynhawn Sul i weld ei mam oedd mewn cartref nyrsio ers rhai misoedd ac yn dechrau colli ei chof, ond doedd dim llawer o groeso i Bob yno.

"Mi roiodd 'i chas arna i o'r munud y gwelodd hi fi. Dydi hi byth 'di madda i mi am briodi Gwerfyl, yli. Doedd mab i ddreifar lorri ddim yn gneud y tro, a hwnnw heb geiniog i'w enw."

"Ma gin ti ddigonedd o bres rŵan, Bob. 'Di hynny ddim yn plesio?"

"Nac 'di. Ac wrth golli'i chof mae'n mynd yn ôl i'w hen ffyrdd. Es i efo Gwerfyl fis yn ôl, wedi iddi symud i mewn, a dyma'i mam hi'n deud, 'Ti'm yn priodi'r caridým yma, Gwerfyl bach. Pry 'di codi oddi ar gachu 'di o, sti.' Meddylia! Mrs Lloyd Banc yn siarad fel'na. Yr hen wrach iddi."

Trodd y sgwrs at y llofruddiaeth a'r teulu.

"'Di colli nabod ar y bobol ifanc 'ma, sti. Nabod 'i thad hi wrth reswm – Bryn. Bryn Bril," gan hanner chwerthin.

"Pam Bryn Bril?"

"Cwestiwn da. Dw i'n rhyw feddwl 'i fod o wastad yn deud 'brilliant' i bopeth pan oedd o'n ifanc. Trio plesio. Ond ddeuda i un peth, welish i neb cystal ar gae ffwtbol. *General* canol cae. 'Sa fo'n gallu gneud paned o de i ti efo'i droed chwith," gan ychwanegu, "ar un adeg."

"I bwy roedd o'n chwara?"

"Pawb. Ges i dymor efo fo, er 'i fod o'n dipyn iau na fi wrth reswm ac yn gan mil gwell. Ond roedd rhywbeth yn codi bob tro, rhyw helynt lle bynnag âi o. Cwrw, pres, ffags, merchaid;

dim yn y drefn yna bob amser; a gwragedd wrth gwrs. Gelyn penna Bryn oedd Bryn Bril. Ffaith i ti."

"A be am 'i wraig o?"

"Wedi mynd a'i adal o. Mi gododd 'i phac pan oedd y plant yn fân; dal yn 'rysgol gynradd, dw i'n rhyw feddwl. Hogan ddel, licio downsio a hei leiff ac roedd Bryn yn ffitio'r bil. Ond mi gafodd lond bol ar Bryn a'i dricia, cwarfod ryw Sais, *entertainment manager* yn y camp, a'i miglo hi dros y ffin. A beth bynnag ddudith neb, mae Bryn 'di magu'r ddau blentyn 'na rwsut. Chwara teg."

"Be mae'r mab yn 'i neud?"

"Yn y fyddin oedd o. Newydd adael os dalltis i'n iawn ac wedi dod adra ac yn gweithio yn Traws. Peiriannydd o ryw fath. Reit, well i mi fynd neu chlywa i mo'i diwadd hi. Unrhyw beth fedra i neud, ffonia. Ti isio pàs adra?"

Gwrthododd Idwal y cynnig a chroesi'r tywod yn y gwyll, gan edrych yn hiraethus ar oleuadau pentrefi Ardudwy yn gadwyn doredig wrth i'r caddug gau am fynyddoedd Meirionnydd. Âi o ddim yn ôl i'r swyddfa. Digon i'r diwrnod ei ddrwg ei hun.

Yr ail ddydd

"Bydd hi'n ddiwrnod oer a llwydaidd heddiw eto dros ran helaeth o'r wlad. Y tymheredd ddim yn codi'n uwch na rhyw bum gradd Canradd gydag awel ysgafn yn chwythu o'r gogledd fydd yn gwneud iddi deimlo'n oerach yn y cysgod..." Trodd Idwal y sain i lawr fymryn a thywalltodd y te o'r tebot a mynd â phaned i fyny'r grisiau. Roedd hi'n dal yn dywyll y tu allan a dim ond lamp fach yn taflu golau oren yn y llofft.

"Tyd, paned i ti. Fydd rhaid i mi fynd 'li. Gwaith trefnu."

Ystwyriodd ei wraig yn ddioglyd a thrio ymgyfarwyddo â'r golau. Roedd y tabledi cysgu wedi gwneud eu gwaith.

"Hwde. Fydda i'n ôl pan fedra i. 'Na i drio ffonio."

Agorodd Llinos un llygad gan edrych fel pe bai wedi clywed addewid o'r fath ganwaith o'r blaen ac nad oedd rheswm iddi roi coel ar ei gŵr y tro yma chwaith.

"Tyd, gafel amdana i a cym ofal. Dim heroics, Id."

Dechreusai oleuo pan gamodd Idwal allan i'r bore oer, llaith a glaw ysgafn yr hwyr wedi rhewi ar ffenest y car. Taniodd y peiriant ac aros i'r gwresogydd wneud ei waith. Roedd hanes y llofruddiaeth ar y radio yn ailadrodd yr ychydig ffeithiau oedd yn wybyddus, a rhes o drigolion yn rhyfeddu bod y fath beth wedi digwydd yn eu pentref heddychlon nhw. Yn anochel, cafwyd datganiad gan y cynghorydd lleol oedd hefyd yn gresynu bod y fath beth wedi digwydd mewn cymuned glòs fel Tan-y-graig. Gwenodd Idwal wrth gofio mor aml y clywsai Robert Hughes yn dweud bod ei gymdeithas yn chwalu a bod yr hen glymau teuluol a gwaith yn hen hanes bellach. Ond wrth gwrs, does neb yn mynd i ddweud hynny ar goedd ar adeg fel hyn. Rhaid cynnal myth y teulu Cymraeg, meddyliodd, cyn mentro i'r lôn yn hanner dall. Sylweddolodd ei fod yn edrych ymlaen at y diwrnod er bod y cyfan yn deillio o drychineb a roddodd ddiwedd ar fywyd merch ifanc.

Roedd yr orsaf yn dechrau prysuro a phlismyn yn cyrraedd o bob man i gofrestru, a chyfrifiaduron trwm, desgiau a chypyrddau yn cael eu cario i'r oruwchystafell. Byddai Lucy Green a'i thîm yn penderfynu pa gwestiynau i'w gofyn ac i bwy ac yn annerch y plismyn troed a fyddai'n ysgwyddo'r gwaith ar lawr gwlad. Aeth Idwal i'w swyddfa i ddisgwyl unrhyw gyfarwyddiadau ac i feddwl.

O fewn deg munud roedd y Ditectif Arolygydd a DS Griffiths wedi ymuno, a golwg ddigon blin ar eu hwynebau. Daeth Lucy Green yn syth i'r pwynt. "*Why*... pam dwyt ti ddim yn dweud wrth DS Griffiths a fi bod ti'n mynd i'r... y... Pen-y-Bont pnawn ddoe? *You can't freelance on a case like this.*"

Roedd Griffiths yn amenio ei gefnogaeth. Prat.

"Digwydd galw wnes i," oedd sylw diniwed y Sarjant. "Ro'n i angen tŷ bach, ar frys, a dod ar draws y pethe ifanc 'na ar ddamwain. A roeddech chi'ch dau yn holi Bryn Richards, toeddech? Fedrwn i ddim torri ar draws. Gwybodaeth ddefnyddiol, toedd?"

Syllai Lucy Green i fyw ei lygaid fel pe bai'n ceisio penderfynu oedd y dyn canol oed yma mor ddiniwed ag oedd o'n swnio.

Yna, dywedodd yn oeraidd,

"Ie, defnyddiol iawn."

"Ac mae eu cyfeiriadau i gyd yn y gwaith papur i DS

Griffiths fynd i jecio nad palu clwydde ydw i," a gwenodd eto. "Gobeithio 'mod i ddim yn sathru ar draed neb ond mae Gavin O'Neill yn disgwyl amdanoch chi bore 'ma; tafarnwr y Pen-y-Bont. Newydd gael gair efo fo ar y ffôn jest rŵan."

Rowliodd Dave ei lygaid mewn anghrediniaeth. Roedd Green yn dal i syllu arno.

"Trio helpu, 'te. Rhwbeth diddorol gan Bryn Richards i'w ddeud?" Fe wyddai Idwal ei fod yn mentro codi gwrychyn y ddau ond trodd Lucy Green at ei chydymaith ac amneidio arno i ateb. Roedd hi'n amlwg bod Dave yn ystyried hyn yn ddiangen ac yn sarhad ar ei statws. Adroddodd ei stori yn gryno ac yn ddiamynedd.

"Y tro dwytha wnaeth Bryn weld ei ferch ydi bore dydd Sadwrn. Hi'n codi i weithio shifft yn Leo's a fo ar y landing ar y ffor' i'r toilet. Mae o'n gadael y tŷ yn pnawn i weld y rygbi ar y teli yn y George. Mae'n cael *a few beers* a lifft adre gin dyn tacsi tua chwarter wedi chwech; pigo pitsa i fyny; adre, neb yno; Debbie 'di mynd – mae hi wedi bod adre achos mae bwyd yn gegin. Mae o'n iste i wylio'r teli, gorffen potel o whisgi, *Match of the Day*, cysgu yn gader. 'I fab o'n dod adre haff twelf i un o'r gloch, 'i ddeffro fo, a mynd â fo i'r gwely."

"Be oedd hanes Mark?" holodd Idwal.

"Sut... wyt ti'n nabod Mark, Sarjant!?" gofynnodd Dave yn anghrediniol. Roedd hi'n ormod o demtasiwn i Idwal.

"Mark? O, yr hogie 'ma oedd yn deud 'i fod o 'di'i enwi ar ôl Mark... y... Knofpler... Dire Straits, sti, gin 'i fam. Fatha oedd Debbie wedi cael y llysenw 'Harry' ar ôl Debbie Harry, Blondie. Cyn dy ddyddie di, 'wrach."

"Ti'n cymyd y *piss, mate*."

"Please, please, that's enough, y dau ohonot ti. Jyst deud am Mark."

Os oedd Dave yn ddiamynedd cynt roedd yn saith gwaeth erbyn hyn.

"Roedd Mark yn y tŷ pan ddoth Debbie 'nôl o'r gwaith ond gadawodd o reit handi efo tri o fêts a mynd rownd pybs yn dre a watsio'r rygbi. Dw i 'di siarad â dau ohonyn nhw ac mae'r stori'n talio. Dal tacsi adre, cyrraedd tua un o'r gloch, Mark yn talu ac yn sobor, dwedodd y dyn tacsi ar y ffôn. Ti'n gwbod y *rest*." Roedd Dave wedi cael digon.

"Diolch, Griffiths… a ddoe?"

"Ddoe'r bore roedd Mark wedi mynd i ddal bỳs i weld Everton yn Goodison. Gêm gynnar. Dyna pam bod o'n sobor neu'n weddol sobor noson cynt, siŵr o fod," ychwanegodd.

"Diolch," ategodd Idwal, er ei fod yn gwastraffu ei egni.

"Aeth DS Griffiths i gweld o neithiwr, wedi i Mark dod adre, chwarae teg."

"Is that it? Work to do." Cododd y dyn o Ben-y-cae ac aeth allan.

Bu distawrwydd am rai eiliadau cyn i'r Dirprwy siarad. "Rwyt ti yn…" a chododd ei bys a phwyntio at Idwal, "yn… bachgen drwg. Mae Dave yn plismon dda, da. Ond dim *sense of humour* ganddo. *You have been warned*. Bydda i'n mynd i weld Mr O'Neill?"

"Well i mi ddod hefyd. Dw i ddim isio ybsetio neb ond dydi Gavin ddim yn hoff o'r heddlu a 'wrach y byddai'n well i mi fod yno…"

"Sut mae dweud 'ok'?"

"Iawn, am wn i, neu 'dyna ni'."

"Iawn, am wn i, 'te. Mae O'Neill yn hoffi ti, ydi o?"

"Nac 'di, dim o gwbwl," a chwarddodd. "'Nes i wrthwynebu ei gais am drwydded i redeg y dafarn. Yn enw'i wraig o ma'r lle."

Ysgwyd ei phen wnaeth Lucy Green.

"Knopfler, Sergeant, dim Knofpler."

"O. Diolch. Gofia i. At eto."

*

Safai Gavin O'Neill ar ganol llawr tafarn Pen-y-Bont yn gafael mewn mẁg o de yn ei bawen. Wnaeth o ddim o fwriad gynnig un i'r ddau ymwelydd er gwaetha'r rhewynt tu allan. Roedd dros ei chwe throedfedd yn braf, yn ddyn cydnerth er ei fod yn magu bol cwrw peryglus yr olwg. Torrodd wynt yn fwriadol i ddangos mai ar ei delerau o y byddai'r sgwrs yn digwydd.

"Dod yma i 'nghau i lawr 'dach chi, Sarjant?" gofynnodd yn sych.

"Na, dim heddiw, Gavin. Ga i gyflwyno'r Ditectif Arolygydd Lucy Green i ti. Gavin. Gavin O'Neill."

Edrychodd Gavin i fyw llygaid y ferch, rhoi'r cyfarchiad lleia 'rioed, cyn ysgubo'i olygon i lawr ei chorff ac yn ôl at ei hwyneb a gwenu. Trodd ei lygaid yn ôl at Idwal.

"Holi am Harry 'dach chi. Welish i hi yma nos Sadwrn, tua hanner awr wedi wyth, chwarter i naw-ish, cael sgwrs…"

"Am be?"

"Pob dim a dim byd, Sarjant, pasio'r amsar. Harry'n gwd laff."

"Oedd hi'n iawn? Poeni am rwbeth?"

"Na." Am eiliad neu ddwy daeth rhyw ansicrwydd i lygaid Gavin O'Neill cyn diflannu. "Dim. Hwylia da arni."

Edrychodd Idwal draw at yr Arolygydd am gymorth ond roedd llygaid honno wedi eu hoelio ar y tafarnwr a oedd yn drachtio'i de yn fwriadol araf.

"Oedd hi ar ei phen 'i hun? Efo pwy siaradodd hi, Gavin?"

"Neb efo hi. Siarad efo pawb. Harry oedd hi, 'te. A'th i ista at Gron a Lewis bach wedyn, i falu cachu efo'r rheiny. Ro'dd hi'n licio gwrando ar hen bobol. Deud bod nhw'n sgwrsio, dim siarad. Harry'n od fel'na."

Roedd y lle wedi prysuro wedyn, meddai'r tafarnwr, ac yntau wedi mynd i orffwys i'r llofft tua deg o'r gloch ac mewn awr wedi mynd i'r neuadd i gadw llygad ar far y gìg tan iddo gau a gwneud y til fan honno nes oedd hi bron yn un o'r gloch y bore. Roedd y bar cyhoeddus yn gwagio erbyn hynny a dim golwg o Debbie. Ond cynigiodd enwau'r rhai oedd yn gweithio ar y bar ac ambell gwsmer.

Pan ganodd ei ffôn ymesgusododd Green a diflannu tua'r cefnau yn sain cerddoriaeth Vivaldi.

"Fydde Debbie yn aros yn hwyr?"

"Weithia. Dibynnu."

"Mi ffoniodd am dacsi neithiwr... cyn deg."

Syllodd i fyw llygaid Idwal. "Cyn deg?" Trodd ei olygon i ffwrdd wrth iddo ystyried neu gofio rhywbeth. "Roedd Harry yn mynd i adal... gadal y lle 'ma. Dyna pam ddoth hi yma nos Sadwrn, dw i'n meddwl, i ddeud *so long* wrtha i."

"Gadel i le? Pa bryd?"

"'Mbo. Ro'dd hi isio rhwbath gwell. Lle i sbredio'i *wings*."

"Pa bryd? Ddoe?"

Cododd Gavin O'Neill ei ysgwyddau.

"Pwy o'dd yn gwbod?" holodd Idwal.

"Neb, dw i'm yn meddwl. *Secret* oedd o."

"A pam deud wrthat ti, 'te?"

"Ni'n dau yn fêts... oeddan ni. Rhai pobol yn trystio fi, Sarjant, dim fel ti. Ti isio'r rhein?"

Cyfeiriodd at ddau dâp VHS ag ôl traul arnyn nhw. "CCTV.

Un camera yn y bar lle mae'r gigs a'r llall ar y *parking* yn cefn. Ddudodd y boi werthodd nhw i mi bod nhw'n *state of the art*; bastad clwyddog."

Crwydrodd Idwal tua chefn y dafarn ac at ddrws y stafell lle cynhaliwyd y gìg ar y nos Sadwrn. Roedd bar bach ar y dde ar waelod y grisiau a llwyfan isel ar y chwith. Clywai lais Lucy Green yn siarad yn dawel daer gyda rhywun ac ymddangosodd trwy'r llenni, y ffôn yn ei llaw dde a'i braich chwith yn chwifio wrth iddi ddadlau ei hachos, beth bynnag oedd hwnnw. Ciliodd Idwal cyn iddi sylwi arno.

Yn y car ar y ffordd o'r Pen-y-Bont roedd Lucy Green yn dawedog iawn gan beri i Idwal druan feddwl y gwaethaf. Roedden nhw wedi gadael ar frys am ei bod wedi ei galw i gyfarfod y wasg. Llwyddodd Idwal i gyfleu honiad y tafarnwr bod Debbie wedi bwriadu gadael yr ardal yn fuan. Gwrandawodd Green yn ofalus ar y wybodaeth a gofynnodd ambell gwestiwn cyn dweud, "Dydw i ddim yn credu hwn. Dydi hi ddim yn wedi pacio dim, dydi dim byd wedi... *gathered*?"

"Hel."

"Hel... dim fel yna mae *brain* merched yn gweithio. Wel, barn fi, *anyway*." Gwelodd fod Idwal wedi ei siomi gan ei hymateb ac ychwanegodd, "Cadw meddwl ar agor, iawn, am wn i?"

Dyna pryd sylweddolodd Idwal fod yr Arolygydd wedi camddeall ei gyfieithiad o 'ok', a dechreuodd ystyried sut i adfer y sefyllfa heb greu embaras i'w fòs a fo'i hun. Dechreuodd Green siarad eto.

"Ti 'di bod yn y toilet yn y Pen-y-Bont?"

"Heddiw, naddo. Ddoe, do. Yn y lle dynion."

"Glân?"

"Sgleinio. Galwyni o disinffectant. Roedd dynes wedi 'i galw mewn i llnau ddoe. Pam?"

"Dim byd. Jest meddwl. Oedd gwraig Gavin adre nos Sadwrn?"

"Nag oedd; na'r plant. 'Di mynd at 'i mam. Ddoethon nhw'n ôl bore ddoe."

"*So*, mae Gavin ar pen 'i hun yn rwle am awr, *ten fifteen* ymlaen. Ac ar ben 'i hun o... pryd?"

"Tua hanner awr wedi hanner tan tua un o'r gloch y bore."

"A drwy'r nos."

Ddywedwyd dim rhagor nes iddyn nhw gyrraedd ffiniau'r dref, pan holodd Lucy Green a oedd yn gwybod am fwthyn y gallai ei rentu yn y cyffiniau gan nad oedd yn edrych ymlaen at aros yn y gwesty a archebwyd iddi; roedd yn awyddus i gael mwy o le iddi hi ei hun.

"Mi fedra i gael lle ddigon hawdd; y bythynnod gwylie 'ma yn wag gan fwya adeg yma. Hola i. Gawn ni rwle call i chi."

Yn ei swyddfa bu'n pendroni. Doedd hi erioed yn amau Gavin, oedd hi? Dysgodd dros y blynyddoedd i beidio dechrau dyfalu ar ddechrau achos. Dyna sut oedd gwastraffu amser a mynd i'r gors o ddewis y ffeithiau oedd yn ffitio'ch patrwm chi gan anwybyddu'r gweddill. Yna, atgoffodd ei hun nad ei ymchwiliad o oedd hwn. Ac roedd honiad Gavin am fwriad y ferch i adael Tan-y-graig yn rhuglo yng nghefn ei ben. Byddai hynny'n berthnasol, does bosib, os oedd yn wir. A pham fyddai Gavin yn dweud celwydd? Aeth â'r tapiau i'r tîm yn y llofft lle bu holi mawr am beiriant VHS i'w chwarae. Ar y grisiau clywodd lais cyfarwydd yn bloeddio yn y dderbynfa.

"A dwed wrth y diogyn Davies 'na 'mod i isio 'nhalu heddiw. Does gen i ddim pensiwn mawr yn 'y nisgwyl i fatha fo. Lle mae o? Iste ar 'i din rhwle, mwn."

"Gwaedda dipyn uwch, Jeff. 'Den nhw ddim yn dy glywed di yn Harlech. Sori, genod. Fel hyn mae o. Tyd i mewn, ti'n gneud i'r lle edrych yn flêr."

Ac roedd hynny'n llythrennol wir. Ond doedd neb wedi cynhyrfu dim. Wedi'r cwbl, Jeff Judge oedd o, perchennog swnllyd Quick Clean a fu'n paratoi'r oruwchystafell ar gyfer yr ymchwiliad. Roedd Jeffrey Pierce, a rhoi ei enw llawn iddo, yn ddyn byr blêr; ei wallt cringoch heb weld crib ers ei briodas ddiweddaraf, ei *fleece* yn rhy hir a llac ond yn rhy dynn o gylch ei fol a gafl ei drowsus tua'i bengliniau. Ond doedd dim dwywaith nad oedd yn ddyn busnes llwyddiannus a fagodd floneg wrth lanhau carafannau gwyliau ar feysydd eang yr ardal. Nid ei fod o ei hun yn glanhau dim arnyn nhw ers blynyddoedd wrth gwrs, ond y fo a drefnai ei fyddin o ferched anffodus i glirio carthion y fisitors o wythnos i wythnos. Gofynnwyd am baned o de a phlannodd Jeff ei hun ar gadair galed yn swyddfa ddiaddurn y Sarjant. Chafodd hwnnw ddim cyfle i agor ei geg.

"Wel? Ydech chi 'di dal y ffycar? Pan wnewch chi, torra'i geillie fo i ffwr' a tyd â nhw i mi. Mi ffria i nhw i frecwast. Bastad."

"Dw i ddim yn siŵr y cawn ni neud hynny, Jeff. Iechyd a Diogelwch a ballu."

"O, paid â dechre efo rhyw gachu felly. Ti'n gwbod be dw i'n feddwl."

"O't ti'n 'i nabod hi?"

"Siŵr Dduw, nabod hi. Fuodd Harry'n gweithio i fi, 'do? Syth o'r ysgol. Am ddwy flynedd bron. Hogan dda. Gweld 'i gwaith. Gallu dibynnu arni, dim fatha'u hanner nhw. A medru sgwrsio efo pobol. Fuodd hi'n gneud swyddfeydd yn dre 'ma i mi. Dim trafferth. Dim. Hogie bach. Mae hi 'di mynd i'r diawl, Id."

Doedd dim pwynt anghytuno â Jeff ond roedd y wybodaeth am Debbie o ddiddordeb.

"Pob oes yn gweld newid, tydi? Deu'tha i..."

Ond roedd Jeff Judge ar drywydd arall.

"Fuon ni'n lwcus, 'do? Diniwed oedden ni, 'te? Cofio gorod mynd i'r Gymanfa Blant? A hynny ar ddwrnod cyp ffeinal o bob dwrnod. Meddylia."

"Oes arall... Byd arall."

"Meddwl di. Ro'dd 'na blismon yn Llan, toedd? Be oedd gynno fo i neud drw'r flwyddyn? O ddifri. Bach o dwrw a traffig yn 'r ha'. Fel arall, ffyc ôl. Ti'n cofio'r dyn 'na yn torri mewn i'r garej? Dyna'r unig insident ddigwyddodd pan oedden ni'n blant."

Roedd Idwal yn cofio, ac wedi clywed Jeff yn adrodd y stori lawer tro ac fe wyddai yn iawn ei fod am ei chlywed unwaith yn rhagor. Nid ei fod yn gwrthwynebu chwaith.

"Larwm yn canu'n tŷ Jones plismon am bump yn bore – larwm garej Moses – a hwnnw'n dychryn am 'i fywyd, yn rhuthro allan, gweld Twm post a mynnu 'i fod o'n mynd hefo fo. Jones yn mynd fel diawl a Twm yn llusgo tu ôl. Jones yn gweld drws y garej ar agor a mynd mewn i'r offis a dal ryw gr'adur o ochre Lerpwl rhwle. Lle 'fyd? Y..."

"Skelmersdale..." cynigiodd Idwal, nad oedd i fod i wybod y stori. Ond roedd Jeff yn llif yr hanes a thu hwnt i sylwi.

"Ie, 'na chdi, Skelmersffycindale. Rywbeth bach eiddil, wrthi yn llenwi'i sach efo sigaréts. Symudodd Jones amdano fo rownd y bwr' a trio deud, '*I am arresting you...*' Ond neidiodd y boi, do, dros y bwr' ac allan trwy ddrws y siop. Ond pwy gyrhaeddodd ar y pryd a llenwi drws y garej ond Twm.

Driodd y Sgowsar fynd rhwng 'i goese fo ond mi fachodd Twm yn nhin i drowsus o a dyna lle roedd o'n bownsio'i ben o ar y llawr concrit a hwnnw'n sgrechian fel mochyn pan dda'th Jones i'w achub o.

"'Arclwy', paid â'i ladd o, Twm. Gollwng o,' a dyna nath Twm; 'i ollwng o'n glewt ar llawr. Fuodd raid galw ambiwlans a doctor. '*Fractured skull*'. Sgwn i ddoth hwnnw ar holides i Gymru wedyn?"

"Mi ddoth digon o'i fêts o!"

"Do, diolch i'r drefn. I mi."

"Ie, dyddie da, Jeff, dyddie da. A... Debbie. Pan oedd hi efo ti fuodd 'na ryw helynt? Rwbeth?"

Fe wnaeth Jeff ryw ystumiau oedd yn awgrymu, o'u cyfieithu, 'dim byd go iawn' cyn dweud, "Weeeel, yr unig un fuodd yn annifyr efo hi oedd Edgar twrne, wsti fel ma hwnnw."

"Na, wn i ddim."

"Wyt, pawb yn siarad amdano efo'r hogie ifinc 'ma.."

"Ac efo Debbie?"

"Duw, ti'n gwbod, 'i ddwylo bob man a ryw herian bob munud. Blydi niwsans. Ro'dd hi'n gallu handlo fo, ond mi symudish i hi'n diwedd. Prat."

Ystyriodd Idwal y wybodaeth. Edgar Prytherch oedd un o bileri'r achos yn y dref, piler i sawl achos a dweud y gwir. Hen lanc ac organydd medrus iawn yr oedd galw mawr am ei wasanaeth. Oedd, roedd 'na straeon amdano ond credai mai gwenwyn oedd wrth wraidd y rhan fwyaf, a'r ffaith ei fod yn hen lanc ac yn berchen ar Merc mawr a thŷ anferth.

"A pham ddaru ti adel iddi fynd?"

"Gath gynnig gwell. 'Di dechre gneud shiffts yn Leo's ac mi gafodd gynnig gwaith llawn-amser. Well na tynnu clwt babi wedi 'i stwffio i lawr toilet carafán, tydi? Pam bod pobol yn gneud peth felly, dwed? Lle maen nhw'n feddwl mae o'n mynd?"

Roedd Jeff Judge yn amlwg yn hoff iawn o Debbie ond dim ond yn achlysurol roedd wedi dod ar ei thraws yn y blynyddoedd diwethaf, a phan ofynnodd Idwal am wybodaeth bellach aeth yn ddigon tawedog.

"Os wrandewi di ar siarad pobol wnei di ddim trystio neb. Ond dw i'n cymryd pobol fel dw i'n 'u gweld nhw. Ac i mi ro'dd Harry'n halen y ddaear." Dechreuodd godi. "Reit, fedra i ddim rwdlan fama efo ti drwy'r dydd; gin i bres i'w ennill," gan anwybyddu'r ffaith mai fo oedd yn bennaf gyfrifol am y rwdlan.

Aeth Idwal i sefyll wrth y ffenest i ystyried geiriau Jeff. Go brin bod ymddygiad Edgar Prytherch, a chymryd ei fod wedi digwydd, yn werth trafferthu Lucy Green yn ei gylch. Efallai y gwnâi ymholiadau ei hun i weld symudiadau'r cyfreithiwr. Wrth iddo synfyfyrio tynnwyd ei sylw gan ddau blismon yn hebrwng dyn mewn dillad gwaith o'u car am y swyddfa. Roedd o'n hanner adnabod y gŵr, ei esgidiau a'i ofarôls yn llwch i gyd. Roedd yn amlwg nad oedd o yno o'i wirfodd o glywed yr iaith gref wrth iddo gael ei arwyddo i mewn. Aeth Idwal i gael golwg ar y llyfr lòg – Meurwyn Rowlands, Cae Haidd, Tan-y-graig. Cofiodd ei fod yn adeiladydd ar ei liwt ei hun ac wedi bod yn gwneud gwaith i gymydog iddo. Daeth un o'r plismyn, Huw Owen, i lawr o'r llofft a golwg welw arno.

"Be oedd hynna?"

"Dod â'r boi 'ma mewn i gael 'i holi."

"Dw i'n dallt hynny, tydw, Owen. Pam?"

Atebwyd y cwestiwn gan lais arall, partner Huw, yr un a

fu'n egluro dirgelion enw Harry wrth y Sarjant y diwrnod cynt.

"Harry 'di bod yn hael ei ffafra yn yr ardal..."

"Blydi hel, clecs 'di hynna..." Roedd Huw yn swnio'n biwis.

"'Wrach, ond roedd enw Rowlands 'di codi a rhai erill ac roedd Dave... DS Griffiths isio'i gael o mewn. Ffêr inyff."

"Ie, ond ro'dd Meurwyn efo'i fusus nos Sadwrn, toedd?" Roedd hi'n amlwg bod Huw yn anghymeradwyo'r penderfyniad ac roedd Idwal yn rhannu ei bryderon, ond ddywedodd o ddim byd.

"Reit, ffwr' â chi, at 'ych gwaith, hogie," anogodd y ddau gan wenu. Syllodd arnyn nhw'n mynd, Huw yn brasgamu o flaen ei gyfaill wedi sorri, a daeth rhyw ddiflastod dros Idwal wrth sefyll yno'n synfyfyrio.

"Paned, syr?"

Carys, yr ysgrifenyddes, oedd yn holi ac yn sefyll yn nrws ei swyddfa. Roedd hi'n adnabod ei bòs yn ddigon da i wybod bod angen tynnu ei sylw. Gwenodd Idwal yn ddiolchgar a dychwelyd i'w gell. Cyn pen yr awr gwelodd Meurwyn yr adeiladydd yn gadael. Wrth gamu allan o'r adeilad rhoddodd gic ffyrnig i garreg rydd a chlywodd honno'n clecian yn erbyn un o'r ceir yn y maes parcio. Yna, trodd a chododd ddau fys ar y sefydliad cyn diflannu o'r golwg.

O fewn dim cafodd alwad i'r gornel lle roedd plismyn yn astudio'r tapiau CCTV.

"Mae'r ansawdd yn ofnadwy... yn sâl iawn. Does dim byd diddorol i'w weld ar y camera yn y bar... ond mae'r llunia'n glir... Ond y llall, edrychwch..."

Roedd y camera a edrychai i lawr o gefn yr adeilad yn dangos y fynedfa i'r maes parcio yn unig, ynghyd â'r adeiladau a oedd gyferbyn â'r grisiau pren a arweiniai at ddrws cefn y bar. Roedd blynyddoedd o dywydd wedi niweidio'r lens fel bod y lluniau du a gwyn yn aneglur, heb sôn am y draul ar y tâp ei hun. A dim ond un lamp ar gongl y dafarn oedd yn goleuo'r gofod.

"Fanna," cyfeiriodd y swyddog at waelod y ffrâm lle gwelid corun pen rhywun. Roedd y person fel petai yn troi i edrych tuag at y maes parcio i'r dde ac yna'n brysio i ffwrdd oddi wrth y camera cyn diflannu rownd talcen y dafarn. Wrth arafu'r llun roedd y ddelwedd hyd yn oed yn llai eglur.

"Debbie ydi honna, ydych chi'n meddwl, Sarjant?"

"Mi allse fod. Dillad tywyll, gwallt tywyll, maint iawn am wn i." Yna pwyntiodd at y sgrin, "Ond ma honna neu hwnna yn gwisgo teits, legins, neu jîns. A lle mae'n mynd?"

Pwyntiodd Lucy Green at y sgrin eto. *"Run it on."* O fewn ychydig eiliadau roedd lampau car yn goleuo'r adeiladau a char tywyll yn sgrialu ar wib heibio'r talcen am y ffordd fawr.

"Hatchback; pa fodel, wn i ddim."

"Ceir bach fel'na ym mhobman. Dim gobaith cael y rhif, debyg?" holodd Idwal.

"'Nawn ni yrru o i HQ. Mae 'na beiriannau fanno allith greu llun cliriach. Dim ond un golau sy ar y cefn hyd y gwela i ac efo'r camera ciami 'ma faswn i ddim yn gobeithio gormod," meddai'r swyddog.

"Renault Clio ydi o. Nabod o yn rhwla."

Trodd pawb at y llais gwybodus, neb llai na Dave. "Ro'dd gen i un o'r rheina am flynyddoedd. Crap o gar os ca i ddeud. Ond dyna ydi o i ti."

Trodd Idwal yn ôl at y sgrin. Roedd y tâp wedi ei gyflymu am rai eiliadau, goleuwyd y wal a daeth cerbyd arall i'r golwg yn symud yn arafach na'r llall. Rhyw fath o bic-yp hir oedd hwn a chab ar ei gefn. Lliw tywyll eto ac olion gwaith arno.

"Mae hyn ryw dri munud ar ôl y car cynta ac mae'n anodd deud... ydi o'n... berthnasol. Does dim car arall yn dod allan am ddeg munud arall. Gawn ni'r *make* gin yr hogie yn HQ."

"Rydych chi'n edrych yn *bemused,* Sarjant."

"Ydw, ma siŵr. Pam nad yden ni'n gweld gyrwyr y ceir yn mynd am y maes parcio? 'Den ni'n 'i gweld hi."

"*Angle* y camera. Os bydda hi'n troi... na, wedi troi i'r dde, ar waelod y steps, fyddai hi ddim yn y ffrâm."

"'Dech chi'n meddwl, 'wrach, bod Debbie... os mai dyna pwy oedd hi... wedi cael pàs gan un o'r ddau gar yna?"

Doedd yr Arolygydd ddim yn ymddangos yn orhyderus. "Efallai. Mae yn gwerth holi. Wrth gwrs, efallai mae rhywun arall yn aros am hi ar y ffordd, os hi oedd Debbie. Rhaid i ni roi gwybod i'r *officers* i gyd erbyn fory, *just in case.*"

Fel hyn oedd hi gyda phob ymchwiliad, meddyliodd Idwal. Pawb yn hel gwybodaeth, ffeithiau, straeon ac, fel arfer, rhywdro, rhywle, rhywsut roedd patrwm yn ymddangos, stori oedd yn dechrau argyhoeddi ac yn eich arwain at yr ateb. Dro arall doedd dim patrwm, dim ond ffeithiau digyswllt a fyddai'n arwain i un *cul-de-sac* ar ôl y llall fel drysfa ddieflig ddiddiwedd. Cofiodd am y llechfaen oer, y corff ifanc perffaith llonydd a daeth dagrau i'w lygaid yn gwbl annisgwyl.

Roedd y dydd yn hel ei draed ac yntau yn ystyried troi am adref pan ddaeth galwad i mewn bod cythrwfl yn Nhai Cynfal, Tan-y-graig a bod angen cefnogaeth. Neidiodd Idwal i'w gar a gyrru fel ffŵl i fyny'r cwm. Er gwaetha traffig diwedd prynhawn roedd yno mewn ugain munud. Roedd hi bron â nosi erbyn hynny a gwelai fod nifer o geir yr heddlu eisoes wedi cyrraedd, pobl ar ben drysau a phlismyn yn eu hannog i fynd yn ôl i mewn. Mewn un gornel roedd gweiddi a bygwth a phedwar swyddog yn ceisio cadw'r heddwch. Gyferbyn â rhif dau, roedd gwraig ganol oed wyllt yn chwythu bygythion wedi eu hanelu at gartref Debbie, er bod plismon yn sefyll o'i blaen. Y tu ôl iddi safai llanc a gwên wirion ar ei wyneb yn tynnu stumiau.

"Ffycin hwran oedd hi ac mi gafodd be o'dd hi'n ffycin haeddu. Pawb yn ffycin gwbod be o'dd hi."

Am eiliad roedd o'n methu credu ei glustiau. Be gythral oedd wedi dechrau hyn? Daeth cwnstabl ato.

"Ma'n nhw blydi boncyrs, Sarj. Pawb yn gwbod am restio Rowlands pnawn 'ma a ma hynny 'di gyrru'r *rumour mill* i oferdreif, pawb yn lladd ar 'i gilydd. 'Sna'm digon o le yn Seilam i'r rhein i gyd."

"Hwn ydi'r Seilam, PC. Reit, gad i ni ddechre efo Mata Hari fama." Camodd at y wraig fer â gwallt du fel y frân ar wahân i'r gwreiddiau gwyn. "Dyna ddigon, Misus, hen ddigon."

Go brin bod Idwal wedi meddwl y byddai ymddangosiad Sarjant yn mynd i ddychryn hon, ac roedd o'n llygad ei le.

"Paid ti â'n ffycin 'misus' i. Ti'm yn nabod hi. Hwran. Fel 'i mam. Gwerthu nialwch i'r hogia 'ma, dyna o'dd hi'n neud. Gofyn i rywun, gneud nhw'n wirion a chditha a dy debyg yn gneud dim ond dreifio o gwmpas yn eich ceir tra ma'r lle 'ma'n mynd i'r diawl. Y ffycin gont!"

Roedd y dici-bach-dwl wrth y wal yn dal i biffian chwerthin a daeth awydd cryf dros Idwal i gamu dros y ffens a rhoi warrog iawn i'r llo. O gornel ei lygad gwelodd lanc arall mewn dillad gwaith yn dod heibio cornel y tŷ ond trodd ar ei sawdl pan welodd y Sarjant.

"Dy hogie di ydi'r rhain?" gofynnodd Idwal i'r ddynes wallgo.

"Ie, pam? 'Dan nhw ddim 'di gneud dim byd, hon 'di'r ffycin drwg, hon a'i drygs."

"A'r fan yma?" gan gyfeirio at hen siandri wedi parcio o flaen y tŷ.

"Fan waith Neil."

Camodd Idwal yn gyflym drwy'r giât fach ac at y drws yn yr ochr. Yn sefyll yn y fan honno yn wardio roedd yna lanc ifanc yn ei ddillad gwaith.

"Ti ydi Neil? Dy fan di ydi honna?"

"Ia, pam?"

"Fi sy'n gofyn y cwestiyne, washi. Mae gen i le i gredu dy fod ti a dy frawd yn delio mewn sylweddau… *substances*. Dy fam ddeudodd. A dw i am fynd â'r fan 'ma i Fae Colwyn am archwiliad manwl. Gymith ryw wsnos, ddeudwn i."

"Be ffwc dw i fod neud heb…?"

"Yn hollol, a llai o'r araith 'na neu mi dy restia i dithe. Os wyt ti isio cadw'r fan, dos i nôl dy fam, cer â hi i'r gegin a cadwa hi yno drw'r nos. Os clywa i am unrhyw helynt bach neu fawr heno, fory, drennydd," mi fuodd bron â dweud 'tradwy' hefyd o ran hwyl ond cymerodd drugaredd ar y bachgen, "mi fydd y fan yna ym Mae Colwyn. Dallt?"

Roedd golwg gallach ar hwn na'i frawd. Aeth heibio Idwal ac o fewn dim roedd y fam yn cael ei hebrwng gan ei meibion dan brotest.

O flaen un o'r tai cyfagos roedd pedwar plismon yn ymrafael â dyn a dynes. Roedd y ddynes wedi colli arni'i hun.

"Mae dy frêns di yn dy goc di. A 'di bod 'no 'rioed, y bastard."

Doedd dim angen esboniad ar y sefyllfa a chyn i blismon ddechrau egluro dywedodd Idwal, gan edrych ar ei oriawr yn ddramatig, "Mae gynnoch chi ddeg eiliad i fynd trwy ddrws y tŷ neu mi fyddwch chi ar eich ffordd i'r stesion am..." a seibiodd fel pe bai'n ystyried pa gyhuddiad i'w ddefnyddio, "... am, be ddudwn ni?... 'tarfu ar yr heddwch'. Ie, dyna ni. Un, dau..." Ciliodd y ddau am y tŷ.

Brasgamodd Idwal at gornel bella'r stad lle roedd dau gwpwl a'u plant yn sgwario, yn pwyntio a herio'i gilydd. Er syndod iddo roedd un o'r gwŷr mewn trowsus byr Bermuda fel petai'n ganol haf. Roedd blinder a'r awel fain wedi tynnu'r colyn o'r ffrae fodd bynnag, ond oedodd o ddim i ofyn beth oedd asgwrn y gynnen.

"Dyna ddigon. Does dim ots gen i pwy sy 'di deud be am bwy," a gan gyfeirio at y plant, "Does gynnoch chi ddim cwilydd, dwch, o flaen y plant 'ma?" Dechreuodd un wraig brotestio ond chafodd hi ddim cyfle. "Os na fyddwch chi trwy'r drws 'na mewn hanner munud ac yn aros yno mi a' i â'r ddwy ohonoch chi lawr i'r stesion i neud datganiad. Rydan ni'n brysur braidd a 'wrach bydd rhaid mynd â chi i Gaernarfon. Gewch chi'ch rhyddhau ryw dro bore fory a cewch drefnu 'ych hunen sut i gyrredd 'nôl... efo'ch gilydd os liciwch chi ar eich cost 'ych hunen. Mae 'na fws reit handi. Mi gewch weld Rhosgadfan, Nebo a Golan ar y ffordd. *Mystery tour* i chi."

Roedd y syniad o orfod rhoi'r plant yn eu gwelyau a'u bwydo, heb sôn am drefniadau trannoeth, yn ddigon i'r dynion ailystyried y ffrae a throdd pawb yn ôl i'w cartrefi dan gwyno.

"Ac os glywa i am unrhyw lol tebyg, unrhyw ffraeo, rydech chi'n gwbod be fydd yn digwydd. *Mystery tour.* Gair i gall. Diolch."

Ciliodd y trigolion o un i un, er bod ambell len yn ysgwyd

ac ambell wyneb ofnus yn rhythu allan i'r nos oedd wedi hen gau am Dan-y-graig. Roedd o wrthi'n diolch i'r swyddogion ac yn holi am unrhyw fanylion perthnasol pan gyffyrddodd un yn ei fraich a chyfeirio'i sylw i ben arall y stad at gartref Bryn Richards. Yno, roedd car wedi aros y tu allan a gwraig yn sefyll o flaen y drws ffrynt. Yn y drws roedd Bryn yn cega ac yn pwyntio'i fys at y car.

"Be gythril sy'n digwydd rŵan 'to. Be haru'r bobol 'ma?" Cerddodd yn gyflym a gweld dyn yn dod o'r car ac yn mynd at y wraig oedd fel pe bai yn crio. Arwyddodd at ddau blismon gyferbyn i fynd draw a chlywodd y gyrrwr mewn llais blin yn dweud,

"I told you. He's fucking mad. It's a waste of time being here in this shithole..." Roedd y dyn yn ceisio'i chymell i'r car ond roedd yn gyndyn i symud. "For God's sake. Come on, love. He's a waste of space."

Doedd dim posib deall beth oedd y wraig yn ei ddweud, dim ond ambell air yn cael ei ailadrodd, "... 'yn hogan bach i..." drosodd a throsodd. Roedd yn sefyllfa ddirdynnol a wyddai'r cwnstabliaid ddim beth i'w wneud fwy nag Idwal ei hun. Ond roedd rhaid gwneud rhywbeth. Trodd at y dyn a gofyn iddo'n gwrtais ddychwelyd i'w gar.

"What have I done? Why pick on me?"

"I'm not picking on anyone. It's very tense here, so please..."

"For fuck's sakes... what a shower. I'm not staying here all night," a rhoddodd glec i ddrws y car.

Gwnaeth Idwal arwydd ar blismon i sefyll wrth y car a throdd at y wraig. "Karen? Ti ydi mam Debbie, ie?" Methodd hithau gael unrhyw air allan am amser, dim ond igian crio ac ysgwyd ei phen.

"Jest isio gweld 'i llofft hi… jest gweld llofft 'yn hogan bach i… twtsiad…"

Syrthiodd ar ei gliniau a gwneud ei hun yn belen ar y ddaear oer. Daeth cwnstabl benywaidd o rywle a mynd ar ei chwrcwd yn ei hymyl i gynnig cysur, os oedd y fath beth yn bosib.

Cerddodd Idwal at y drws ffrynt a chanu'r gloch. Agorodd, a safai gŵr ifanc yno.

"Mark?"

"'Di'm yn dod i mewn," sibrydodd. Gwnaeth Idwal hi'n berffaith amlwg ei fod o'i hun am ddod i'r tŷ p'run bynnag a chamodd i'r ystafell fyw. Roedd y lle fel pìn mewn papur, sylwodd, a Bryn Richards yn sefyll ar ganol y llawr.

"Cheith dim un o'i thraed hi ddod ar gyfyl y lle 'ma. Yr ast. Y ffycin wynab i ddod yma. Be ddiawl mae'n ddisgwyl?"

Arhosodd Idwal i'r storm leddfu.

"A ma Mark o'r un feddwl, dwyt." Roedd hwnnw yn sefyll wrth ochr ei dad erbyn hyn, gryn chwe modfedd yn dalach ac yn oleuach; yn debycach i'w fam.

"Sgin hi ddim hawl… dim effin hawl," Bryn eto. Rhaid bod yr 'effin' o barch i'w streipiau, dyfalodd.

"Nag oes, ma siŵr. Dallt yn iawn. Ond mi welsoch be ddigwyddodd allan fanna heno. Alla i ddim risgio dim byd sy'n mynd i neud pethe'n waeth. Rydan ni yma i'ch gwarchod chi a dal y llofrudd a dw i ddim yn mynd i wastio amser dynion sy â pethe gwell i'w gneud. Felly, Mr Richards, dw i'n mynd i ofyn i chi 'yn helpu i a mynd allan am ffag i'r cefn a cyn i chi ddod 'nôl bydd pob dim drosodd a Karen wedi mynd." Edrychodd ar y mab cystal â dweud, 'dw i'n disgwyl dy help di fama.' Dim symudiad. Edrychodd Idwal i fyw llygaid Mark ac yn y man nodiodd ei ben.

"Dowch, Dad. Awn ni efo'n gilydd."

Anadlodd ochenaid o ryddhad. Aeth â'r fam i'r tŷ ac i'r llofft. Roedd tâp ar draws y fynedfa i'r llofft er nad oedd yn safle trosedd, a throdd y golau ymlaen iddi gael golwg iawn. Cwpwrdd o ystafell; gwely sengl, wardrob wen, dresel fach a drych ffansi; lluniau ffrindiau mewn fframiau, teganau meddal mawr a bach ar y dwfe pinc a ffrâm bren yn crogi o'r to gyda phlu amryliw yn sownd wrth linynnau arni. Trodd Idwal ei gefn am eiliad a llithrodd hithau dan y tâp a chipio llun oddi ar fwrdd bach cyn disgyn wrth y gwely fel pe bai mewn gweddi, a'i chorff yn ysgwyd mewn galar. Ymbiliodd am gael cadw rhywbeth, unrhyw beth o eiddo'i merch.

"Chewch chi ddim a dyna fo," pwysleisiodd yntau yn gadarn.

"Mam sâl… sut medrwn i droi cefn… dyna 'dach chi'n feddwl, 'de? Pawb yn meddwl hynny. O'n i methu diodda bod yma… fatha jêl i mi… plis ga i gadw rwbath bach?"

Roedd yr amser yn gwibio ac addawodd, heb wybod a allai gyflawni ei addewid hyd yn oed, y byddai'n anfon rhywbeth o blith pethau ei merch iddi, pan fyddai'r ymchwiliad ar ben. Wedi'r pledio a'r bygwth llwyddodd i'w chael i adael yr ystafell a'i thywys i'r car. Aeth yntau at y drws cefn. Roedd Mark a'i dad ym mhen draw llwybr yr ardd a braich y mab ar ysgwyddau ei dad. Diolchodd iddynt am eu cymwynas a dychwelodd i drefnu bod car yr heddlu yn dychwelyd i'r stad bob awr tan un o'r gloch y bore.

Roedd ei geg yn sych grimp ac ar fympwy gyrrodd i Frynhyfryd a chael Robert Hughes gartref ar ei ben ei hun.

"Roedd 'na amser pan fyddwn i'n nabod pob un wan jac o bobol Tai Cynfal, ac yn gwbod 'u hacha nhw. Ond ddim bellach. Fel'na mae hi."

Dros baned o de tramp holodd Idwal am y math o geir a

welwyd ar y tapiau, heb fanylu, gan ofyn i'r cynghorydd gysylltu os gwyddai am rai o'r fath yn y cyffiniau.

Diolchodd am y baned. Roedd pob asgwrn yn ei gorff yn barod am wely, ond wrth godi'n drafferthus gofynnodd a oedd y cynghorydd wedi clywed unrhyw sïon yn cysylltu Debbie â gwerthu cyffuriau.

"Oes angan i mi ddeud bod nhw ym mhob man, Idwal? Do, glywis rwbath ond glywis i'r un straeon am dri neu ragor o rai erill hefyd. Be ŵyr hen beth fel fi, 'te? 'Di colli nabod arni, ers iddi roi gora i'r llnau. Fuodd acw am flwyddyn dda yn y swyddfa. Gweithio i Jeff Judge, sti."

Wrth chwilio am ei oriadau yn ei gôt cofiodd am sylwadau ei gyfaill. "Roedd hi'n llnau i Prytherch hefyd, toedd? Glywist ti hi'n cwyno amdano fo 'rioed?"

"Ti'n pysgota rŵan. Pawb 'di clywad am Prytharch, 'do, a chditha 'fyd, ond faint sy'n wir does gin i ddim obadeia. Ro'n i'n meddwl mai hogia oedd maes diddordab hwnnw?"

Diolchodd Idwal am y baned a gofyn eto i Hughes gysylltu pe bai'n cael unrhyw wybodaeth am y cerbydau. Camodd Idwal i sedd y car, caeodd ei lygaid ac anadlu'n ddwfn a gwyro'i ben fel pe bai am weddïo. Roedd wedi gweld pobl mewn pob math o helbul dros y blynyddoedd, wedi eu gweld ar eu gwaethaf ac ambell un ar ei orau. Doedd dim yn mynd i'w ryfeddu bellach ond roedd heno wedi sigo'i ysbryd. Merch, un ohonyn nhw eu hunain, yn gelain a chymdogion yn ymddwyn fel... fel be? Nid fel anifeiliaid, na, gwaeth o lawer, heb urddas, heb barch, fel pe baent ar drugaredd rhyw ddigofaint dinistriol. Arhosodd felly am amser yn gwrando arno'i hun yn anadlu a'i feddwl yn wag. Agorodd ei lygaid a gweld bod lleuad lawn, anferth o leuad a gwawr oren arni, yn codi dros ysgwydd y mynydd. Cystal rhoi'r bai ar honno, meddyliodd, yn hyn o fyd, a throdd am adref.

Pan gyrhaeddodd y dref, ar waetha'i flinder aeth heibio'r troad am Morfa a dal ar y briffordd tua Cricieth cyn troi i lawr lôn drol am fferm Rhydloew. Pan gyrhaeddodd y buarth gwelai gar Lucy Green o flaen un o'r bythynnod gwyliau yn yr hen dai allan. Doedd o ddim am gael ei gyhuddo o gelu gwybodaeth ddwywaith yn olynol a chystal gwneud yn siŵr bod y llety yn plesio. Wrth nesu at y drws clywai sŵn lleisiau yn dadlau o'r tu mewn ond gallai fod yn sain teledu, wrth gwrs. Bu'n aros am hydoedd cyn i'r Dirprwy agor y drws. Synhwyrodd yn syth fod yr ymweliad yn gamgymeriad. Bron na thaerai fod y ferch yn crynu a'i bod yn ymdrech fawr iddi gadw trefn ar ei hanadlu. Holodd yn gyflym am y llety a chyfleu yr hyn a ddywedwyd am Debbie a'r cyffuriau er gwybodaeth. Chafodd o fawr o ymateb ac ymesgusododd trwy honni ei fod ar frys. Wrth droi trwyn y car sylwodd ar gerbyd arall wrth y talcen, ac o hen arfer gwnaeth nodyn o'i fêc a'r rhif. Rhag ofn.

Wrth roi'r goriad yn nrws ei gartref penderfynodd y byddai'n dweud cyn lleied â phosib am y digwyddiadau yn Nhan-y-graig. Roedd y tŷ yn ddistaw a golau yn y lolfa ym mhen y cyntedd. Aeth i estyn diod o ddŵr o'r gegin a bachu banana. Agorodd y bin sbwriel i waredu'r croen a sylwodd fod plât a phryd bwyd arno wedi ei daflu yno. Safodd am eiliad cyn symud am y lolfa.

"Llin?" yn ysgafn. O'r drws gwelodd fod ei wraig yn cysgu mewn gŵn nos yn y gadair freichiau o flaen y tân trydan a gwydr yn ei llaw. Ar y bwrdd bach gerllaw roedd lamp a phatrwm map OS o ardal Dolgellau yn cysgodi'r bylb ac wrth ei hochr botel o fodca bron yn wag. Cymerodd anadl ddofn a chamu i godi'r gwydryn o ddwylo'i wraig a'i osod yn ofalus ar y bwrdd, fel dyn oedd yn gyfarwydd â'r gwaith. Aeth i'r llofft, troi'r golau isel ymlaen a chodi gorchudd y gwely cyn mynd yn ôl i lawr i'r lolfa. Gwyrodd dros ei wraig a'i chodi gyda chryn drafferth a'i chario yn ofalus, gan ongli ei gorff i sicrhau na fyddai'n taro ei phen yn y cilbost nac yng nghanllaw'r grisiau. Am ba hyd y byddai'n abl i wneud hyn, meddyliodd, cyn ei rhoi yn dyner i orwedd yn y gwely. Gwnaeth hithau ryw sŵn mwmial cysglyd.

Eisteddodd Idwal ar gadair fach ffansi a rhoi ei ben yn ei ddwylo cyn codi ei olygon a syllu ar wyneb tlws ei wraig. Y geg lydan a wenai mor barod a'r croen llyfn a oedd yn dechrau dangos arwyddion y smocio cyson.

Roedd o'n blismon ifanc yn Nolgellau pan welodd o hi gyntaf. Doedd o ddim yn ugain oed pan gafodd ei anfon o Landudno i Ddolgellau am fod ei dad wedi ei daro'n wael, chwarae teg i'r Gwynedd Constabulary. Hithau yn rhan o gang o ferched hŷn Ysgol Dr Williams, y Doctor Ducks, a fyddai'n dod i'r dref i ddianc rhag caethiwed trefn ysgol a grëwyd i godi golygon merched y fro i fyd gwell y tu hwnt i Gymru. Un o hoff driciau'r merched, a Llinos yn arwain, fyddai pryfocio'r cwnstabl dibrofiad yn ddidrugaredd.

"Gawn ni weld dy druncheon di? Ydi o'n un mawr? Wyt ti'n 'i bolisho fo? Efo be?" a'r chwerthin yn cynyddu bob gafael wrth gwrs. Roedd honno'n gêm uchel ganddynt gan adael yr Idwal ifanc yn fud a'i wyneb yn fflamgoch. Un tro dywedodd Llinos wrtho, o flaen y lleill, debyg iawn, ei bod wedi breuddwydio am gael ei rhoi mewn gefynnau gan bledio ar Idwal i wireddu'r freuddwyd. Yn ei banic collodd yr Idwal ifanc ei limpin.

"Callia, 'nei di. Chwip din iawn wyt ti'n haeddu," gan ddifaru wrth i'r geiriau ddod allan o'i geg.

"O plis. Wyt ti o ddifri? Ti'm yn mynd i godi'n sgert i, wyt ti, PC? Diawl bach budur. Riportia i di." A'r criw yn chwerthin yn ddilywodraeth. Dihangodd cyn gynted ag y gallai o'u golwg wedi ei lorio'n llwyr.

Daeth tro ar fyd pan gafodd ei berswadio i ymuno â chôr ieuenctid yn yr ardal. Roedd y gwmnïaeth a'r tynnu coes yn nefoedd iddo. Ond un noson trodd y chwarae yn chwerw yn dilyn cwffas mewn dawns werin rhwng rhai o fechgyn gwyllt Trawsfynydd a rhai o'r dref a'r cyffiniau. Y cyhuddiad oedd bod y plismyn wedi cadw draw mewn ofn gan adael rhai o lanciau'r côr yn eu gwaed. Idwal gafodd y bai gan y bechgyn a throdd pethau'n hyll. Llinos ddaeth i'r adwy yn gwbl ddi-ofn a mynnodd y noson honno ei fod yn ei danfon adref.

"Fydda i'n saff efo plismon mawr dewr yn 'y ngwarchod i," oedd ei geiriau pryfoclyd. Dyna ddechrau'r garwriaeth. Byddai wedi cerdded trwy ddŵr a thân er ei mwyn.

Heno, plygodd ei ben a gwrandawodd ar ei hanadlu cyflym wrth i'r ystafell oeri.

Y trydydd dydd

"MAE'R TYWYDD OER yn parhau dros Gymru a bydd y gwynt o'r gogledd yn codi yn ystod y prynhawn ac yn chwythu'n gryf ar hyd glannau'r gorllewin. A dyna'r rhagolygon. Newyddion traffig nesaf. Mae'n prysuro wrth gyfnewidfa Coryton ac mae'r traffig yn araf iawn ger twnelau Bryn-glas..."

Go brin bod hynny'n newyddion, meddyliodd Idwal wrth gerdded i'r llofft a chwpaned o de yn ei law. Roedd Llinos wedi codi ar ei heistedd ar erchwyn y gwely yn edrych ar y carped a'i hwyneb yn llwyd a difynegiant.

"Sori, sori, sori am neithiwr."

"Does dim angen, Llin bach..."

"Oes, debyg iawn bod angen."

"Arna i oedd y bai, yn aros allan..."

"Paid â hel esgusion drosta i. Dw i'n ddigon hen i wbod. Jest gafel amdana i, Id."

Teimlodd Idwal ei wraig yn crynu wrth iddi geisio dal y dagrau'n ôl. Doedd o byth yn gwybod beth i'w ddweud ar yr adegau prin y byddai Llinos yn crio. Ceisiodd fwmial rhyw eiriau mwythus.

"Ble buest ti? Do'n i'm isio bod ar 'y mhen 'yn hun neithiwr. Pam na...?"

"Dw i'n gwbod. Ro'n i 'di meddwl ffonio... Mi ddylswn fod wedi." Ac adroddodd ryw gymaint o hanes y noson flaenorol. "Fydda i ddim yn..."

"Paid â'i ddeud o, Idwal. Cha i mo'n siomi wedyn. Mae gen ti waith i'w neud. Ti'n lwcus."

Ar ei ffordd i'w waith troellai geiriau Llinos yn ei ben. "Ti'n lwcus." Oedd, mi wyddai hynny. Hyd yn oed heddiw yng nghanol achos erchyll, neu yn wir oherwydd hynny efallai, edrychai ymlaen at y dydd. Faint o bobl fyddai'n gallu dweud hynny? A faint fyddai'n cyfaddef hynny? Dyna pam y cytunodd i aros ymlaen am flwyddyn ychwanegol, mae'n siŵr, er iddo gymryd arno mai yn groes graen y gwnaeth hynny ar y pryd. Mor hawdd ydi ein twyllo'n hunain, meddyliodd.

Yn swyddfa Lucy Green cafodd ei gyflwyno i dditectif arall oedd yn ymuno â'r tîm. Llabwst mawr o Ynys Môn oedd DS Sion Gwyn gyda llond pen o wallt cringoch a gwên barod. Cydgordio gwybodaeth oedd ei waith o ar yr ymchwiliad, mae'n debyg. Amneidiodd yr Arolygydd ar Dave a dechreuodd hwnnw amlinellu adroddiad y patholegydd. Roedd Debbie, fel y tybiai pawb, wedi marw yn dilyn ergydion trwm i gefn ei phen ac i ochr chwith ei phenglog. Roedd olion anaf ar y foch dde hefyd. Gallai'r niwed a dorrodd yr asgwrn ar gefn y benglog fod wedi digwydd wrth i'w phen daro wyneb caled ond doedd dim olion yn yr archoll. Yr ergyd i'r arlais chwith a achosodd y gwaedlif a'i lladdodd. Roedd hi'n anodd penderfynu ar union amser ei marwolaeth oherwydd y tymheredd isel, ond rywdro o tua un ar ddeg y nos hyd at un y bore oedd y farn ar hyn o bryd, er bod cyn hanner nos yn debygol. Roedd yr arf yn amlwg yn un trwm – pastwn o ryw fath.

Adroddodd Dave y ffeithiau hyn fel petai'n darllen rhestr siopa ac yna seibiodd cyn ailddechrau. "Mi fyddwn ni'n dweud hynne i gyd wrth y tîm bore 'ma ond mae un peth arall fyddwn ni ddim yn sôn amdano wrth neb rŵan. Mae'r lab yn meddwl bod Debbie wedi cael rhyw y noson honno. Dydyn ni ddim yn siŵr. Ond os ddaru hi, roedd o'n *consensual*, mae'n debyg. *Keep it to yourselves. Ok?*"

"A'r dau car. Mae *registration* y Clio gennyn ni, a'r *owner* yn byw yn..." edrychodd Lucy Green ar ei nodiadau, "Talisarn."

Allai Idwal ddim ffrwyno'i hun, "Tal-y-sarn, Dyffryn Nantlle? Neu Talsarnau, Ardudwy?"

Daeth Dave i'r adwy. "Dyffryn Nantlle, Davies. Mi fyddwn ni'n gweld y boi bore 'ma; ugen oed a pump yn y car. Enwau pawb gynnon ni."

"A dim lwc efo'r pic-yp?"

"Na. Y *plate light* 'di torri a baw... 'wrach, cown ni *make* a *model* heddiw neu fory."

"Diolch. *Briefing* mewn chwarter awr. Sarjant? Gair bach." Gadawodd Lucy Green y ddau arall i fynd a chau'r drws. Heb edrych arno dywedodd, "Sori am neithiwr. Mae hi'n amser *awkward*. Diolch am... trefnu y lle. Mae'n bril. Grêt."

"Mae'n iawn, siŵr. Pawb yn dallt..."

"Na, sori. Roedd *partner* fi wedi dod lawr a lot o bethe i trafod."

"Mae gynnoch chi ddigon ar 'ych meddwl. Anghofiwch y peth. Wela i chi yn y briffing."

Yn ei swyddfa edrychodd Idwal ar waith y dydd ac ar enwau'r criw oedd yn mynd allan i gasglu gwybodaeth bellach o Dan-y-graig. Bu'n ymrafael â'i gyfrifiadur heb lwyddiant. Edrychodd ar ei watsh. Damia, roedd yn hwyr i'r cyfarfod. Camodd at y drws pan ddaeth cnoc. Yn sefyll y tu allan roedd PC Huw Owen.

"Brysia. Mae'r ddau ohonon ni'n hwyr."

"Dydw i ddim yn dod, syr. Fedra i ddim." Roedd golwg ci lladd defaid ar y cwnstabl.

"Be haru ti'r lob. Mae hwn yn gyfle i ti fagu profiad, dysgu am rywbeth heblaw cymdogion yn ffraeo a pobol yn cwffio. Tyd."

Ond doedd dim symud ar Huw. Tynnodd Idwal y plismon ifanc i'r ystafell a chau'r drws yn glep. "Gwranda, Huw, dw i'n dallt bod hwn yn achos hyll ond oes raid i mi ddeud wrthat ti mai peth felly ydi bywyd?"

Dechreuodd y plismon siarad gan faglu dros ei eiriau wrth adrodd ei neges.

"Neithiwr, yn Tan-y-graig, roedd pawb wrthi'n lladd ar Debbie, galw hi'n hwran a ballu. A fedra i ddim bod yn *involved*, achos... Wel, mi fues i hefo hi rywdro, a tasa pobol yn gwbod hynny, a finna'n... dyst ne rwbath..." Chafodd o ddim mynd ymhellach.

"Hold on, ara deg. 'Mynd hefo hi'. Be 'di hynny? Canlyn? 'Ta be?"

Llyncodd y plismon ei boer, "Na, jest un noson, syr."

"Dêt?"

"Na, dim dêt. Jest... cysgu efo hi... syr."

Ebychodd Idwal un o'i ebychiadau hir 'be ddiawl nesa?'

"Meddwl am yr achos ydw i, syr, dim y fi. Taswn i'n cael 'y ngalw a bod y peth yn dod allan."

"Twmffat. Cei glywed mwy am hyn." Brasgamodd am y drws a'i agor. "Rŵan, dos o 'ngolwg i."

Ar yr union eiliad honno roedd Lucy Green yn cerdded i lawr y grisiau; y briffing ar ben a hithau ar fin gadael. "Ble roeddet ti, Sarjant?"

Gwelodd Idwal ei gyfle. "Dos yn ôl i mewn!" Caeodd y drws, amneidio ar ei bennaeth a sibrwd wrthi, "Un munud bach. Dw isio i chi roi cic yn 'i din i hwn. Ei ysgwyd o, ok?" Edrychodd hithau yn ddiddeall.

"Rydw i... ar brys," ond gan gofio am y noson gynt, gwenodd yn wan a chamodd y ddau i'r ystafell.

Roedd golwg dyn yn wynebu'r crocbren ar Huw pan

welodd y ddau. "Reit, dwed dy stori yn reit handi wrth yr Arolygydd iddi gael gwbod pam ei bod yn colli Inspector Clouseau o'i thîm." Aeth wyneb Huw o fod yn welw fel cannwyll i fod yn fflamgoch wrth esbonio ei benbleth. Er mwyn ymestyn y poenydio, gofynnodd Idwal yn ddidaro,

"A sut digwyddodd hyn? Rhag ofn bod o'n berthnasol, 'te." Distawrwydd. "Tyd, mae gin rai ohonon ni bethe gwell i'w gneud."

"Nos Sadwrn oedd hi, ha' dwytha, criw ohonan ni 'di mynd i G'narfon i ddathlu pen-blwydd. Gaethon ni dacsi... minibys... o'r Maes yn hwyr, ac o nunlla doth Debbie a gofyn am bàs 'nôl i dre. A dyna ddigwyddodd." Erbyn hyn roedd llygaid Huw yn gwibio i bob man, ond ar wynebau'r ddau arall yn yr ystafell. "Oes raid i mi, syr?"

"Oes."

"Wel, aeth petha dros ben llestri ar y ffor' 'nôl. Diod a ballu. Chwara'n wirion a'r hogia'n tynnu arni ac mi ddoth i ista ata i."

"Pam? Be o'dd y 'chwara'n wirion' 'ma?"

"Fi o'dd y sobra, ma siŵr. Mi gyrhaeddon ni ond ro'dd y tacsi yn bwcd i rwla arall. Do'dd gynni hi nunlla i fynd ac mi ddaru Pete Bwtsh yn diwadd adael i ni aros yn llofft sbâr 'i le fo."

"Peter Bellis? Y cyw twrna?"

"Ia."

"Arglwydd mawr. Be nesa?"

"Ro'dd Pete yn daer i ni adal ben bora ac mi ddreifies i hi adra, wel i'r pentra. A dyna fo."

"Titha 'di bod yn yfed 'i hochor hi noson cynt. Y ffŵl. Sori am hyn, Ma'am, ond dw i'n siŵr..."

Syllai Lucy Green yn gwbl ddifynegiant ar yr heddwas ifanc yn gwingo o'i blaen.

"Pam bod Mr Bellis isio i chi gadael yn gynnar?" gofynnodd yn ddiniwed.

Syllodd yntau arni fel dyn oedd newydd roi ei droed mewn rhywbeth annymunol iawn. Aeth ei gorff yn llipa.

"Jest ateb, wnei di." Roedd y Sarjant wedi clywed digon.

"Ro'dd Pete mewn achos yn y Crown... Llys y Goron... Achos cyffuria. Rhyw gang o lawr y *coast* wedi torri i mewn i Fferyllfa Pendre. Roedd y pen-bandit... Saffir, ne rwbath...?"

"Iqbal Saffir," cynigiodd Lucy Green. "Nasty piece of work."

"Ro'dd o 'di cael 'i weld hefo'r lleill yn pnawn ond munud ola mi gafodd alibei. Debbie oedd yr alibei. Gafodd o ddod yn rhydd. Dyna pam."

Roedd y Sarjant yn ysgwyd ei ben mewn anghrediniaeth. "Well i ni ofyn, gan dy fod ti yma. Ble oeddet ti nos Sadwrn?"

"Pwllheli. Cyngerdd codi pres i'r Ambiwlans Awyr."

"A be oedd dy gyfraniad di?"

"'Y nghariad i'n canu mewn côr, syr."

"Dy gariad di? Na, dw i ddim isio gwbod." Roedd Idwal wedi clywed digon. "Ma'am?"

"Diolch, PC. Pawb yn gneud... *mistakes*." Gadawodd yr heddwas.

"Sori am hynny, Ma'am, do'n i ddim yn gwybod y manylion anghynnes. Be sy?"

Roedd Lucy Green â'i llaw dros ei cheg fel pe bai ar chwydu. Erbyn gweld, ceisio'i gorau glas i beidio chwerthin yn uchel roedd hi.

"Be sy mor uffernol o ddigri?"

Llwyddodd hithau i atal y chwerthin a dywedodd, "Ti, Sarjant! Dy... gwyneb ti... Wrth gwrando ar y PC. *Hilarious*. Rwyt ti fel Charlie Chaplin mewn *silent movie*."

Wyddai Idwal ddim sut i ymateb, dim ond teimlo fel ffŵl. Trodd tua'r ffenest mewn embaras.

"*It's ok*. Rydyn ni'n gwbod rŵan bod Debbie yn nabod Saffir. Neu rhywun sy'n agos i Saffir. Bydda i'n siarad gyda'r *squad*. Dydi Saffir ddim yn gneud ei gwaith budur, fel arfer. Ond mae o yn *sadist. I'm off.*"

Roedd hi wedi cinio ac Idwal yn syllu allan ar awyr unffurf lwyd. Dechreuodd bigo cenllysg, ac yna daeth cenlli i glindarddach ar y to gan adlamu hyd y cowrt fel pe bai rhyw gawr wedi arllwys tunelli o reis ar y dref. Gwelodd ddau heddwas yn rhedeg nerth eu traed am y swyddfa o'u car ac yn bytheirio a rhegi yn y cyntedd, wedi fferru ar ôl bore o guro drysau. Cododd y ffôn ar swyddfa Robert Hughes a chael gwybod ei fod yn brysur gyda chleientiaid ond bod rhywun wedi canslo am hanner dydd. Penderfynodd fynd allan am awyr iach a galw i weld y cynghorydd.

"Sori, sori, sori. Wedi bod fel ffair 'ma. Blydi ffarmwrs a'u ffurflenni treth. Reit, y ceir 'ma. Y Renault Clio – dim clem. Y pic-yp, wel yr unig un fedrwn i feddwl o'dd teulu fferm Ty'n Weirglodd. Yr hogia yn ffensio, walio a ballu. A mae 'na enw a rhif ffôn ar yr ochrau. Wedyn, mi holais i Gwerfyl, heb holi os ti'n 'y nallt i, ac mi soniodd am Arwyn Llidiart y Mynydd."

"Pam bod yr enw'n canu cloch?"

"Ro'dd 'na gwest ar 'i dad o. Faint sy? Deunaw mis... dwy flynadd yn ôl? Damwain efo gwn. Dyfarniad agored, os cofia i'n iawn. Roeddat ti yno, toeddat."

"Oeddwn. Hogyn go abal?"

"Arwyn Arth maen nhw'n 'i alw fo. 'Mbach yn ddiniwad, ac eto, mae o'n iawn. Reit, be bynnag sy'n digwydd, dw i ddim 'di siarad hefo ti. Dallt? Gwerfyl yn llawia efo Dilys, 'i fam o. 'Sa hi'n 'yn lladd i am brepian."

Cododd i fynd pan holodd Robert Hughes, "Ydi hi wedi tawelu tua Tai Cynfal 'na?"

"Am wn i. Be ddigwyddodd i'r gymuned glòs Gymreig, Bob?" gan chwerthin.

Syllodd y cynghorydd arno yn fud a chodi ei aeliau.

Roedd rhaid sefydlu mai mab Llidiart y Mynydd oedd yn y Pen-y-Bont nos Sadwrn, a phenderfynodd Idwal fynd i wynebu Gavin O'Neill yn y cnawd i osgoi unrhyw gamddealltwriaeth.

Doedd fawr o arwyddion bywyd y tu allan i'r dafarn ac yn y bar doedd ond pedwar o ddynion o gwmpas bwrdd yn ysmygu, cwyno ar eu byd, chwarae dominos ac yfed, yn y drefn yna. Safodd ar ganol y bar gwag.

"Yn y selar mae o. Rhoi dŵr yn y cwrw," meddai dyn â gwallt coch llaes a sbectol, heb dynnu'r sigarét o'i geg a gan gadw ei ddwy law ar y darnau du o hir arfer. Gwelodd ddrws agored wrth y bar a cherddodd tuag ato.

"Gavin!" bloeddiodd y cochyn gwalltog o'r tu cefn iddo. "Teulu isio gair." Chwarddodd y lleill fel bechgyn drwg. Daeth Gavin O'Neill i'r golwg.

"Be ti isio?" oedd y cyfarchiad di-wên.

"Y fath groeso, Gavin. Cwestiwn neu ddau, dyna'r oll." Edrychodd i gyfeiriad y pedwarawd aflawen ac amneidiodd y tafarnwr at y drws y daeth Idwal drwyddo. Wrth adael y stafell, trawodd y cringoch ei ddominos ar y bwrdd a dweud yn uchel, "Peidiwch â'i restio fo nes i ni orffan y gêm, Sarjant."

"Very funny," oedd sylw Gavin.

Yn y stafell fach foel lle roedd tri bwrdd crwn a chadeiriau, dechreuodd Idwal.

"Nos Sadwrn. Oedd Arwyn, Llidiart y Mynydd, yma?"

Distawrwydd am rai eiliadau. "Pam?"

"Jest ateb y cwestiwn. 'Wrach bydd gwbod o help i ni."

"Arwyn Arth? Oedd."

"Pryd?"

"Ges i gip arno fo pan ddois i lawr tua chwarter wedi deg. Ro'dd hi'n llawn. Doedd o ddim yma ar ôl i mi neud til y cwt."

"Rhywun efo fo?"

"Dim i mi gofio."

Holodd Idwal am yr honiad bod Debbie Richards yn gwerthu cyffuriau ond roedd y tafarnwr yn gyndyn i ddweud dim. A phan holodd Idwal am yr *alibi* roddodd Debbie yn yr achos cyffuriau wnaeth o ddim ond ysgwyd ei ben. "Be wn i, 'te, Sarjant. 'Wrach bod o 'di cynnig pres iddi. Pawb ar y *take*, tydi? Iawn i bobol yn parliment ddeud clwydda a dwyn pres y wlad, tydi? A bancars. Ti 'di darfod?" Roedd perchennog y Pen-y-Bont wedi mulo ond roedd Idwal wedi cael yr hyn roedd o'n chwilio amdano.

Erbyn iddo gyrraedd gorsaf yr heddlu roedd y dydd yn hel ei draed ato. Aeth â'r wybodaeth i'r oruwchystafell. Ymlafniodd Lucy Green trwy ei 'llongyfarchiadau' diffuant; ategodd Dave hynny trwy hanner symud ei ben; gwenodd Idwal, ond dim ond iddo'i hun. Roedd y pennaeth yn canolbwyntio ar y cam nesaf. Gallai hwn fod yn allweddol i'r ymchwiliad.

"Gwell i fi a Dave fynd i fyny i weld... y... Arwyn. Byw gyda'i mam?" Dangosodd Idwal y lleoliad ar y map mawr ar y wal tra oedd Dave yn ffidlan ar ddyfais Blackberry yn chwilio am fap digidol.

"Mae Arwyn yn fachgen... yn ddyn cry iawn," rhybuddiodd y Sarjant. "Ac mae o braidd yn... ddiniwed 'i ffor'."

"Diniwed?... *Innocent*?"

"Na... nid..."

"Simple," cynigiodd Dave.

Doedd gan Idwal ddim amynedd dadlau. "Well i chi gael rhywrai wrth gefn, rhag ofn?"

"Ie, syniad da. Trefna ti car a dau plismon i dilyn ni. Ok?"

Aeth Idwal at ei waith. Gan fod pawb ar hyd ac ar led bu tipyn o strach yn cael gafael mewn car a chriw oedd yn rhydd. Roedd yr Arolygydd a'i gwas wedi hen adael i fyny'r cwm cyn i'r ail gar ddechrau ar ei siwrnai. Gallai'r achos fod ar ben y noson honno, meddyliodd. Waeth cyfaddef ddim, doedd o ddim yn siŵr ai dyna'i ddymuniad; roedd rhyw gyffro mewn trosedd fel hon oedd yn cyflymu'r gwaed, rhyw deimlad o bwrpas, o geisio cyfiawnder. Wrth gwrs, byddai rhwydo'r llofrudd mor gynnar ac mor ddidrafferth yn bluen yn het pawb, gan gynnwys ei het ei hun wrth reswm. Ac yn gysur i deulu Debbie, atgoffodd ei hun. Ystyriodd y cwest a'r gŵr gwalltog, cydnerth wedi ei wasgu i mewn i siwt a ffitiai fel maneg ddeng mlynedd ynghynt, yn adrodd ac ailadrodd yr hanes am glywed clec gwn yn dod o'r ysgubor. Yntau yn rhedeg yno ar draws y buarth anwastad a chael ei dad yn gorwedd yno a hanner ei dalcen yn rhacs a'i reiffl wrth ei ochr.

Yr unig reswm i Idwal fynd i'r cwest oedd bod y plismyn a alwyd i'r safle wedi bod yn esgeulus wrth drin a thrafod yr arf a diogelu'r dystiolaeth, ac roedd yn disgwyl i'r Crwner wneud môr a mynydd o hynny. Ond wnaeth o ddim; dim ond diolch i bawb, cydymdeimlo a datgan dyfarniad agored. Cofiai i Arwyn fod fel dyn ar goll yn ystafell y cwest, er bod y cyfan bron yn Gymraeg. Ei unig ateb i bob cwestiwn oedd ailadrodd yr hyn ddigwyddodd fel pader a'i fam yn ategu'r hanes. Roedd rhywbeth dychrynllyd o drist yn y syniad y gallai'r dyn cyffredin gwladaidd hwn wynebu cyfnod hir rhwng pedair wal ymysg pobl estron, beth bynnag ddigwyddodd nos Sadwrn.

Aethai hanner awr heibio cyn i'r ffôn ganu. "Davies?" Pan glywodd dôn galed ond ansicr llais Dave fe wyddai fod rhywbeth o'i le. "Mae o wedi dengid… i'r mynydd." Suddodd calon Idwal.

"Be ddigwyddodd?"

"*Never mind that.* Rhaid bod y diawl 'di'n gweld ni'n dod, uffen, a neidio ar y cwod a heglu i'r mynydd. Dim point dilyn, nag oedd, fel blydi bol buwch fyny fama yn y stics. Chief yn meddwl well aros tan bore a rhoi ceir o gwmpas y mynydd heno."

"Os ydi o am ddianc o'r mynydd mi wneith hynny. Mae'n nabod y lle fel cefn 'i law. Ond eith o ddim yn bell ac erbyn y bore mi fydd yn oer ac yn llwgu. Ond, ie, gosodwch geir ar y fforch i Gwm Penmachno, yn Afon Gam, lôn Dolwyddelan, yn y Blaenau a'r pentre."

"Ok. A galw pawb i mewn erbyn saith bore fory, pawb, a 'nawn ni diseidio ble i fynd. Hynny'n swnio fel plan?"

"Ydi."

"Trefna lorri i nôl y pic-yp, wnei di? Geith fynd i HQ."

"Wna i. Be am 'i fam o?"

"Mae'r Chief hefo hi rŵan. Mae 'na ddihareb Gymraeg, does? Y… rhywun yn 'ffoi heb'… rwbeth?"

"Yr euog a ffy heb ei erlid."

"Dyna fo i ti. 'Ffoi heb ei erlid'. Pam nath o? Y?"

Yn ei gartref yn hwyrach y noson honno yn Morfa safai Idwal y tu allan ar y teras uwchben y creigiau yn edrych allan ar y môr. Doedd dim golwg o amlinell mynyddoedd Ardudwy, a thrwy'r düwch dim ond golau'r bwi gwyrdd agosaf oedd yn amlwg a lampau stryd melyn Talsarnau a Harlech yn treiddio'n ysbeidiol a dyfrllyd ar draws y düwch. Clywai ru dwfn cyson yn llenwi'r awyr. Nid sŵn gwynt na thonnau ond grŵn annaearol fel corn isel yn dod o grombil y creigiau. Aeth ias drwyddo.

"Be ti'n da fama'n rhynnu?"

"Meddwl am y bachgen 'na fyny ar y mynydd ar noson fel heno. Be sy'n mynd trwy'i ben o? Cr'adur." Teimlodd ei wraig yn cydio yn ei fraich.

"Meddwl am 'i fam o o'n i. Ar 'i phen 'i hun. Yn gofidio'i henaid. O!" A rhoddodd ebychiad hir torcalonnus.

"Tyd. Bwyd yn barod."

Clwydodd y ddau yn gynnar o gofio'r alwad trannoeth ac wrth nythu yn ei gesail sibrydodd Llinos, "Dyma braf." Gwasgodd ei hysgwydd yn dyner ond roedd ei feddwl yn gwibio rhwng y mynydd moel, y ffermdy distaw, y corff yn y marwdy a Thai Cynfal lle roedd tad a mab yn disgwyl i rywun ddatrys y pos na fyddai'n ateb i neb. Roedd y cyfan yn gweu'n fflachiadau trwy ei ben ac yntau rhwng cwsg ac effro pan ganodd y ffôn. Am eiliad meddyliodd ei fod wedi cysgu'n hwyr ond gydag un cip ar y cloc gwelai nad oedd ond dau o'r gloch. Gwelodd mai Lucy Green oedd yna ac roedd y llais cryg yn arwydd nad newyddion da oedd ganddi.

"Mae... Arwyn," ynganai'r enw fel 'Awyn' gydag 'a' hir ac roedd hynny'n dân ar ei groen, ond nid dyma'r amser am wers Gymraeg. Byrdwn y neges oedd ei fod wedi ymosod ar ddau blismon ger eu car ar y mynydd, y ddau wedi brifo ac ambiwlans ar y ffordd. Roedd hi'n swnio fel pe bai'n darllen ei theyrnged angladd ei hun ac efallai ei bod hi, meddyliodd. Roedd angen ei bresenoldeb yn yr orsaf yn ddiymdroi.

"Sori." Syllai Llinos arno'n gysglyd a gorfododd wên fach o gysur ar ei gwefusau gan ddisgwyl esboniad. "Arwyn wedi dengid, taro dau blismon a dwyn eu car. Ma gynno fo reswm i ddianc rŵan… I ben draw'r byd, ond eith o ddim yn bell. Mae 'na dracyr ar y car. Ffŵl gwirion iddo fo."

Ffoniodd un neu ddau ar y ffordd ac erbyn iddo gyrraedd roedd criw wedi hel yn siarad yn ddistaw mewn congl fel pe baent mewn cynhebrwng, ond heb y chwerthin.

"Paned, syr?"

"Diolch, Liz, ti'n angel. Heno. Coffi du os gweli'n dda." Pwyntiodd at y llofft. Nodiodd hithau.

Yn ystafell Lucy Green roedd Sion Gwyn yn edrych yn drwsiadus ryfeddol a Lucy Green yn edrych fel y swniai ugain munud ynghynt. Gadawodd Sion gan gydnabod Idwal wrth fynd.

Eisteddodd Lucy a chodi ei llaw at ei thalcen, yn amlwg yn hel ei meddyliau. Cododd ei golygon ymhen amser a dweud, "Mae yn o drwg i gwaeth, Sarjant." A gwenodd. Cytunodd Idwal gan amau un ai bod hon yn colli arni neu bod ganddi hyder afresymol.

"Be ddigwyddodd? Ydyn nhw wedi brifo yn ddrwg? Oedd gynno fo arf? Cyllell?"

"Na, dim ond *brute force*, dw i'n meddwl. Roedd un wedi mynd am… *to relieve himself, when he was attacked.*"

Roedd absenoldeb arf yn rhyw gysur o leiaf. "A lle mae'r car?"

"Dyna mae Sion yn gwneud rŵan. Mae rhyw broblem… gyda'r *co-ordinates.*"

Daeth Sion yn ei ôl ar ras ac at y map mawr ar y wal. Syllodd Idwal yn hurt arno. "Fydd o 'di g'luo hi 'mhell o 'ma erbyn hyn, siawns." Tawodd wrth i Sion droi ato a chodi ei fys.

"Pwyll, Sarjant." Edrychodd ar y papur o'i flaen a gyda phensel nododd y safle cychwynnol ger Pont yr Afon Gam. Yna, dechreuodd ysgwyd ei ben mewn anghrediniaeth a nodi safle o du isa'r pentref ar y map. "Dyma lle mae'r signal 'di stopio. Ond pam?"

"I gyrraedd fanna mi fydde fo wedi dod heibio un o'r ceir erill yn y pentre os nad oedden nhw hefyd yn cael paned a phisiad," oedd sylw coeglyd Idwal.

"Neu 'i fod o 'di mynd i'r chwith ac i'r ffordd fawr, osgoi'r pentre a dod rownd o'r gwaelod ac i fyny'r ffordd yma at y pentre."

"Lôn Cwm. Ond i be?"

"Mynd adre?" awgrymodd Lucy Green. "Ok. *Let's go.* Sion yn aros yma. Mae Dave yn Tan-y-graig hefo fan a tîm. Ti'n nabod y lle, Sergeant; mynd efo'n gilydd. Ni'n mynd yn y Land Rover o'r gwaelod a gobeithio cyfarfod wrth y car. Mae gynnon ni *armed backup.*"

"I be?"

"Mae o'n peryglus, Sergeant." Roedd hi'n flin.

"Dim Jack 'the Hat' McVitie ydi o, naci. Dyn wedi 'i gornelu, 'di dychryn, synnwn i ddim. Gadwch i mi siarad efo fo cyn meddwl gneud dim byd... eithafol."

"I'm in charge. I'll make the decisions. We'll see," a gadawodd.

Edrychodd y ddau ddyn ar ei gilydd a chododd Sion ei aeliau cystal â dweud, 'Hi sy'n rhedeg y sioe a well i ti dderbyn hynny.' Aeth Idwal at y map ac edrych yn fanwl ar y lleoliad ac ysgwyd ei ben. "'Di o'm yn gneud sens, Sion. Dim sens o gwbwl."

Roedd tensiwn a chyffro i'w deimlo yn y cerbyd. O barch i'w wybodaeth honedig eisteddai Idwal yn y blaen efo'r gyrrwr. Y tu ôl iddo roedd Lucy Green mewn cyswllt *walkie-talkie* gyda Dave yn y fan oedd yn dod i'w cyfarfod. Roedd plismyn lleol hefyd yn y cefn, rhai fyddai'n ddefnyddiol mewn unrhyw ymrafael. Caewyd y lon ar y ddau ben gan adael cerbydau yno i warchod a dilynodd un arall y prif gerbyd. Llusgodd y Land Rover yn araf o'r fforch yn y ffordd ar waelod y cwm tua'r man cyfarfod. Cyflymodd curiad calon Idwal pan welodd oleuadau car o'i flaen, ond pan fflachiodd y lampau sylweddolwyd mai fan yr heddlu oedd hi.

"What the...?" dechreuodd Lucy Green heb orffen ei chwestiwn a heb ateb.

Doedd dim byd ond ffordd wag rhwng y ddau gerbyd, wal garreg ar y chwith i Idwal a choediach o fewn ugain llath. Ar y dde, ar ochr ucha'r ffordd, tyfai coedwig o goed pin uchel ac adwy yn fynediad i rywle. Doedd dim i'w weld na'i glywed ond sŵn gwynt yn ysgubo'n ysgafn drwy'r coed fel tonnau ar draeth a sŵn dŵr yn disgyn, fel pistyll, yn rhywle o du isa'r ffordd. Roedd Lucy yn astudio ei map. "Ar y... chwith rhywle mae o," meddai.

"Syr... y... Ma'am. Mae 'na drac fama." Ynghudd yn y coediach o'u blaenau roedd bwlch ar ochr isaf y ffordd, ar ochr y cwm, a lôn drol wedi gordyfu yn y canol er bod olion i rywun fod yn ei defnyddio yn achlysurol. Roedd fel bol buwch a llwyni a mieri yn cau drosti. Rhoddwyd trefn ar y criw gan adael breichiau rhai yn rhydd i ddelio ag unrhyw ymosodiad, eraill yn dal fflachlampau a gynnau Taser. Dave oedd ar y blaen. Cerddai Idwal y tu ôl i Lucy Green. Ar y chwith iddo, gam neu ddau yn ôl, gosodwyd Huw. Idwal oedd wedi ei ffonio, yn rhannol am ei fod yn byw yn agos ond hefyd am y gallai ddibynnu arno i wrando os âi pethau'n gyfyng. Allai Idwal ddim llai na theimlo bod yr holl beth yn swreal; rhyw chwarae soldiwrs, ond pharodd hynny ddim yn hir.

"Syr. Sbïwch." Llais isel Huw. Trodd a gweld bod lamp y gŵr ifanc yn pwyntio at wair wedi ei gywasgu ar ochr y llwybr. Roedd y fintai wedi sefyll. Camodd Idwal at yr olion a thu draw i'r brwgaitsh yng ngolau'r tortsh gwelai fod y tir yn disgyn yn serth i lawr i geunant. Yn y gwaelod, a'i drwyn wedi ei ddal yn sownd rhwng carreg enfawr a'r graig, roedd car heddlu a'i du blaen yn chwilfriw. Symudodd o'r neilltu wrth i Lucy Green gamu at yr ymyl. Clywodd hi yn tynnu ei hanadl yn gyflym, ac yng ngolau gwasgaredig y lampau gwelodd hi'n cau ei llygaid a gostwng ei phen. O ddrwg i waeth yn wir, meddyliodd, gan gadw'r sylw iddo'i hun. Sylwodd ar wyneb difynegiant DS Griffiths yn gwelwi.

"Rhaid i ni mynd lawr i gweld." Bron nad oedd yr Arolygydd yn siarad efo hi'i hun.

"Gyda phob parch, Ma'am, does dim brys. Drychwch. Does neb yn mynd i gered o hwnna ar frys, nag oes?"

"Cau dy geg, Sarjant. *Not your call*, pob parch, 'te," awgrymodd Dave.

"Dw i ddim yn risgio bywyd dim un o'r dynion 'ma ganol nos heb offer na golau iawn. Tasa rwbeth yn mynd o'i le..."

"Mae gynno fo point, Dave."

"A' i i ffonio'r Tîm Achub. Ga i nhw allan, gobeithio, mewn awren go dda 'wrach ac mi allwn ni fynd lawr yn ddiogel wedyn. Ma'am?"

"Ie. Ok."

Nid fel hyn oedd ei gyrfa yn y gogledd i fod i gychwyn, meddyliodd. Roedd rhagor o geir yr heddlu wedi cyrraedd o'r pentref a'u goleuadau glas yn fflachio'n ddramatig fel arcêd hapchwarae. Aeth yn ôl i'r cerbyd i hel ei feddyliau mewn heddwch.

"Llanast, syr," oedd sylw un heddwas wrth fynd heibio. 'Amen' yn wir. Llanast llwyr. Yn y fan ffoniodd y swyddfa am rif ysgrifennydd y Tîm Achub. Doedd Idwal ddim yn disgwyl llawer o groeso gan hwnnw ar y fath awr, a chafodd o ddim, er i bethau wella mymryn ar ôl deall nad oedd raid treipsio i ben mynydd ac y byddai criw bychan yn gwneud y tro. Dau yn yr ysbyty ac un corff. Doedd dim medalau yn mynd i ddod o'r ymchwiliad hwn ond fe allai fod yn ddiwedd gyrfa i rai. Cerddodd yn ôl i fyny'r rhiw pan fflachiodd golau cryf i'w wyneb.

"Be gythril sy'n mynd mlaen 'ma? Sut ma disgwyl i ddyn gysgu, wes?"

"Rho honna lawr."

"Dyw, Davies bach, myn diawl." Yng ngolau ei lamp ei hun gwelai ddyn main mewn côt drom flêr yn sefyll yn yr adwy rhwng y coed pin; wyneb onglog, gwallt hir, blêr a mwstás Zapata. "Ti'n edrych ac yn swnio fel plismon rŵan." Acen de Meirionnydd oedd gan hwn ac roedd rhywbeth yn yr osgo...

"Gwranda, sgin i ddim amser i falu cachu..."

"Glyn, Glyn Wilias. Ti'm yn 'y nghofio fi, nag w't? Cog bech oeddet ti, cofia – cyw plismon yn Nolgelle, ofn dy gysgod. 'Nest ti fy restio i – wel, ti a dy fêts. Dal y gannwyll oeddet ti. Cynllwynio." Chwarddodd. "Gwes bech i Carlo oeddet ti 'radeg hynny. A rŵan, ma siŵr. Cofio?"

Oedd, roedd o'n cofio'r amser annifyr hwnnw pan restiwyd nifer o ddynion ifanc heb fawr o reswm, neu ddim rheswm o gwbl yn achos rhai, i brofi grym y wladwriaeth.

"'Swn i wrth 'y modd yn hel atgofion, Glyn, ond mae gin i waith i neud. Ond tra ti yma – glywist ti ryw sŵn, rhyw dwrw yn gynt? Lle ti'n byw?"

"Fama, debyg iawn. Tŷ Nant. Hanner canllath i fyny'r wtra 'ma. Naddo. Chlywis i ddim byd... dim nes i chi gyrraedd. Mae hi fel *Miami Vice*, myn diawl. 'Di o rwbeth i neud efo'r Arth?" Pwyllodd Idwal i feddwl am ateb. "Ar 'i ôl o 'dech chi?"

"Wyt ti'n 'i nabod o?" Tro Glyn oedd ystyried rŵan.

"Pawb yn nabod 'r Arth. Ydw, fydd o'n gweithio efo ni, weithie, 'de."

"A be ydi dy waith di?"

"Yn y coed. Torri, llifio, clirio. Gwaith gonest. 'R Arth yn un da efo peirianne... ac yn medru trin 'ffyle he'd." Newidiodd goslef ei lais. "Rwbeth 'di digwydd iddo fo? Ydi o'n iawn?" Camodd am y lôn, ond safodd Idwal o'i flaen.

"Sori, Glyn, rhaid i mi ofyn i ti fynd yn ôl adre ac aros yno tan y bore. Ddrwg gen i. Mae 'na ddamwain 'di bod. Dal i drio gweld be ddigwyddodd."

Syllodd y dyn i lygaid y Sarjant gan bwyso a mesur. Edrychodd ar y plismyn gerllaw. Yna gwenodd. "'Swn i'm am roi'r pleser i ti 'yn restio i ddwyweth yn dy fywyd, jest rhag ofn iddyn nhw roi medal i ti'r diawl," a throdd ar ei sawdl.

Adroddodd Idwal i'r Dirprwy a daeth rhyw ddistawrwydd dros y lle wedi'r cynnwrf. Roedd pawb yn dechrau sobri. Daeth Huw ato a sibrwd,

"Dowch efo fi, syr." Tywysodd ei fòs ymhellach ar hyd y lôn drol i fan mwy agored lle ymunai'r llwybr â thir pori llechweddog.

"Gobeithio bod gin ti rwbeth gwerth 'i ddangos i mi, Huw." Roedd cwnstabl arall yn sefyll gam neu ddau yn is na'r ffordd ac yn edrych yn ôl i fyny'r ceunant at y car. "Arglwydd mawr, 'di'n saff fanna? Fedrwn ni ddim fforddio damwain arall."

"Na, mae'n iawn, syr. Ma gin Kev 'ma dortsh gry. Sbïwch." Trodd Kevin y golau ar y car. Roedd yr ongl newydd yn dangos rhagor o'r ffenest ochr flaen.

"Ie? A be?"

"Does 'na neb yn y car, syr. Os nad ydi o 'di syrthio i mewn i'r *well*. Ond sut 'sa fo'n…? Efo'r *impact* 'sa fo 'di mynd trwy'r ffenast, debycach."

Cyrhaeddodd Dave wedi ei ddenu gan y golau a'i ddrwgdybiaeth reddfol o Idwal. "Be sy, uffen?"

"Well i PC Owen esbonio, dw i'n meddwl. Pry 'di dianc, beryg. A' i 'nôl at y bòs."

Wrth gerdded y llwybr tywyll drwy'r coediach cofiai eiriau'r sgwrs gynharach. 'Un da efo peiriannau.' Fyddai torri i mewn i gar a'i danio ddim yn dasg ry anodd i Arwyn. Os felly, Duw a ŵyr ble roedd o bellach nac ym mha gerbyd. Pan gyflwynodd y newyddion i Lucy Green teimlodd hynny o hyder oedd ganddi yn diflannu fel eira Mai.

"Mae o yn byw o leiaf," meddai, i'w chysuro'i hun yn bennaf.

*

Safai Tŷ Nant mewn llannerch gysgodol yng nghanol coedwig binwydd. Cyrhaeddodd Glyn Williams gowrt ei gartref. Trodd i mewn trwy'r llidiart bach o flaen y tŷ. Trodd ei ben a chyfeirio'r lamp ar y siediau blêr a'r peiriannau hen a newydd a safai hwnt ac yma. Safodd yn stond ac ystyried. Cymerodd gipolwg tuag at y lôn a'r fflachiadau glas yn adlewyrchu ar foncyffion y pinwydd.

"Wel, y bastad bach." Yna, gan chwerthin wrtho'i hun, agorodd y drws a chamu i mewn.

Y pedwerydd dydd

Caeodd Idwal ddrws y tŷ o'i ôl yn ddistaw. Dim ond rhai oriau o gwsg a gawsai a theimlai ei gorff yn drwm a llesg wrth i'w esgidiau grensian ar y graean. Deffrodd beth wrth i'r awel finiog ei daro. Roedd sêr y bore yn dechrau diflannu a goleuadau glannau Meirion yn glir ar draws yr aber. Anadlodd yn ddwfn. Gallai synhwyro bod heddiw yn ddiwrnod tyngedfennol a bod angen iddo fynd i'r swyddfa'n blygeiniol rhag ofn, er na wyddai pam.

Erbyn iddo gyrraedd y maes parcio roedd ei feddwl yn effro. Ond doedd ei gorff ddim wedi anghofio lludded y nos wrth iddo stryffaglu i godi ei hun gerfydd ei ddwylo allan o'r car. Diolchodd fod y llwydolau yn cuddio rhai o'i feiau rhag y werin a'i gyd-weithwyr o leiaf.

Yn y cyntedd safai dau heddwas digon di-ffrwt yr olwg.

"Bore da, bawb," gan wenu ar Liz yr ysgrifenyddes. "Be ti'n da yn dal yma?"

"Rhaid i rywun gadw trefn, toes? Mae Carys ar 'i ffor'." Taflodd gipolwg ar y ddau heddwas ac amneidio â'i phen tuag at y swyddfa. Dilynodd yntau hi a chau'r drws.

"Be sy?"

Chwifiodd ddarn o bapur i'w gyfeiriad. "Dyn 'di ffonio, newydd neud. Rhywun 'di dwyn 'i gar o. Na, ffôr bei ffôr ddeudodd o, neithiwr, wel bore 'ma."

"Lle?"

"Tŷ Nant, Lôn y Cwm."

Anadlodd Idwal yn ddwfn. Roedd llygaid ei ysgrifenyddes yn syllu arno'n ddisgwylgar.

"Glyn Williams? Deud 'i fod o 'di siarad efo chi neithiwr – neu bore 'ma i mi gael deud yn iawn. Ddaru o?" Roedd hi'n swnio'n bryderus. Ceisiodd Idwal gofio'r sgwrs a'r geiriau am arwydd o rywbeth tra gwibiai cwestiynau trwy ei ben, ynghyd ag ymateb tebygol Lucy Green a'r cwdyn Dave yna.

"Ydach chi'n iawn?"

Na oedd yr ateb gonest ond nid dyna ddywedodd. "Wyt ti 'di deud wrth rywun?"

"Na, newydd ffonio mae o, rhyw ddeg munud yn ôl."

"Ydi o'n dod i mewn?"

Ysgydwodd ei phen yn nacaol. "Deud bod o'n gorod mynd i weithio."

"Sut?" ffrwydrodd Idwal. "Sgynno fo 'run car! Sori, dwn i ddim pam 'mod i'n gweiddi arnach chdi. Un llanast ar ôl y llall. Reit. Diolch. Ddrwg gen i, Liz. Bryna i wy i ti pan ga i iâr. Sgynno fo ffôn lôn? Ffôn 'di marw? Blydi hel! Lucy?" a phwyntiodd ar i fyny. Cafodd gadarnhad a diflannodd, yn dal i ddiolch ac ymddiheuro. Yn ei gefn, gwenodd hithau gydag anwyldeb ac anobaith.

Yn y llofft roedd ambell adyn wedi cyrraedd, gan gynnwys Sion Gwyn. Cafwyd cytundeb mewn dim o dro y dylid rhannu'r wybodaeth am y cerbyd oedd wedi ei ddwyn o fewn yr Awdurdod, a gyda heddluoedd eraill i'r dwyrain, a rhybudd am y gyrrwr tebygol. Erbyn i Idwal wynebu Lucy Green roedd Dave wedi ymlwybro i mewn yn anwesu paned o goffi llwyd oedd yn gweddu i'r dim i liw ei wyneb. Cymerodd rai munudau i ddeall y sefyllfa ond roedd y cyfan yn fêl ar ei fysedd o fewn dim.

"Ti 'di bod yn siarad efo'r *bloke* Glen 'ma... neithiwr, na, heddiw'r bore?"

"Glyn." Mae o'n gneud hyn yn fwriadol, meddyliodd Idwal.

"Glyn… *whatever*… A 'nest ti ddim sysbectio dim byd? Ydi o'n nabod y *suspect*, yr Arwyn 'ma?"

"Dydi o ddim yn *suspect*, nac 'di? Person o ddiddordeb ydi o… neu, dyna oedd o."

"O, mae mochyn newydd fflio heibio'r ffenest ene, Sarjant," ac eisteddodd yn ôl yn ei sedd gan wenu i'w goffi.

Edrychai Lucy Green fel pe bai wedi cael digon ar y ddau ddyn. "Rhaid mae o yn wedi dwyn y car…" Chafodd hi ddim gorffen y frawddeg.

"Dwyn?! Yden ni'n siŵr mai dwyn y car wnaeth o? Yden nhw'n nabod 'i gilydd, Sarjant? *For the record, Sergeant Davies is nodding in the affirmative.*"

Doedd o ddim mewn sefyllfa i ddadlau. "Mi ffonia i wraig Glyn. Trio gweld lle mae o'n gweithio a'i gael o i mewn i'w holi. Cysylltu hefo'r DVLA hefyd i neud yn siŵr mai fo bia'r cerbyd," ac aeth Idwal o'u golwg.

Bu'n rhaid mynd rownd y byd a Sir Fôn cyn dod o hyd i le gwaith y coedwigwr y bore hwnnw a chyn gallu cysylltu ag un o'r gweithwyr gan fod ffôn Glyn Williams yn farw, yn fwriadol neu fel arall. Trefnwyd i gael car heddlu i fynd i'w gyrchu. A thrwy'r amser roedd crechwen Dave yn crafu nerfau Idwal. Roedd hi'n ganol y bore pan ddaeth yn ymwybodol o ryw siarad uchel ac ambell chwerthiniad allan yn y cyntedd. Trwy'r gwydr gwelai blismyn yn tynnu ar ei gilydd ac aeth i weld beth oedd achos y rhialtwch annisgwyl.

"Maen nhw wedi 'i ddal o, syr."

"Pwy?"

"Y boi Arwyn 'na ddaru atacio Steve a Martin. Yn lle 'fyd, Glan…?"

"Glyn... Carrog?" cynigiodd ei gyfaill.

"Glyn Ceiriog?" cynigiodd Idwal.

"Ia, hwnna. 'Di mynd mewn i wal ryw bont yn ymyl fanno. Y ffôr bei ffôr yn reitoff, meddan nhw. Bora 'ma."

Ar yr eiliad honno daeth galwad i'r swyddfa a chafodd Idwal ei orchymyn i'r llofft. Yn swyddfa Lucy Green safai'r tri, Dave, Sion Gwyn a'r Dirprwy, ac amneidiodd hithau ar y Monwysyn.

"Ti 'di clywad? Mi yrrodd i mewn i wal garrag ar bont yn ymyl Glyn Ceiriog. Pam 'i fod o yn fanno, Duw a ŵyr."

"Osgoi'r A5," atebodd Idwal fel pe bai'n ffaith amlwg.

"Yn anffodus, mae o mewn coma. Dydi hi ddim yn edrach yn dda arno fo o be 'dan ni'n glywad. Uffar o olwg ar y cerbyd... y wal a fynta."

"Fywith o?" Yr unig ymateb oedd ysgwyddau yn codi a gostwng.

"Mae'r blydi Glyn 'na mewn amdani... *aiding and abetting...*" Roedd Dave ar gefn ei geffyl.

"Dim ots am fo... rydyn ni'n colli yr unig *witness, potential witness*, dyna'r dam peth." Llais blin Lucy Green. Heliodd y ddau arall allan gan gadw Idwal. Amneidiodd at gadair gan edrych yn boenus.

"Dave... yn blin... efo fo'i hun... dw i'n meddwl. Ond mae hwn yn... *disaster.*" Edrychodd ar Idwal.

"Trychineb."

"Trychineb. Mae hwn yn trychineb, Sarjant. I ni, i fo, ac i mam Arwyn." Roedd hi'n baglu, yn ansicr. "Sori am hyn, ond mae rhaid i ni dweud wrth Mrs Dilys Jones, cyn i'r stori dod allan," gan edrych ar Idwal yn ymddiheurgar. "Mae gen ti... rwyt ti'n... gwybod y pobol yma a mae gen ti y geiriau a'r *experience. I would be grateful.*"

Suddodd calon Idwal. Roedd wedi cyflawni dyletswyddau tebyg, a gwaeth, o'r blaen droeon ac wedi cael pob math o ymateb; rhai yn cau drws yn ei wyneb fel petai'r bai ar y negesydd neu bod cau'r drws yn cadw'r caswir allan; llawer yn beichio crio wrth reswm dan deimlad dilywodraeth a rhai'n llewygu yn eu dychryn, ond y rhan fwyaf yn rhyfeddol o foesgar er gwaetha'r sioc. Ond doedd y dasg ddim yn mynd yn haws, er y byddai'n meddwl yn aml bod cyfleu'r neges, a honno'n dod fel huddyg i botes, yn haws na gwaith gweinidog yn cydymdeimlo gan wynebu'r cwestiwn anochel: 'Pam?' O leiaf roedd ateb plismon i'r pam yn haws na cheisio cyfiawnhau'r 'Drefn', beth bynnag ydi honno, meddyliodd. Aeth i'w swyddfa i ystyried ac i drefnu swyddog benywaidd i fynd gydag o i Lidiart y Mynydd. Pwy wyddai beth oedd yn ei ddisgwyl?

Ffoniodd ymlaen llaw i ddweud ei fod am alw. Cyn cyrraedd buarth y tyddyn yng nghesail yr ucheldir roedd wedi esbonio wrth PC Ffion Elis mai bod yno i gamu i mewn pe bai'r hen wraig yn ymateb yn wael i'r newyddion am ei mab oedd ei dyletswydd y bore hwnnw. O'r briffordd, lôn drol anwastad a arweiniai at y fferm a swatiai mewn hafn a grëwyd gan nant a lifai o'r mawnogydd uwchlaw. Tŷ carreg isel gydag estyniadau a redai'n gyfochrog â'r afonig oedd Llidiart y Mynydd, gyda hen adeiladau llechfaen a siediau sinc du ar y dde a'u cefnau yn y mynydd. Wyneb creigiog oedd i'r iard ond crëwyd llain gwastad concrit o flaen y tŷ, lle safai dau gar a dau lwyn bythwyrdd wedi hanner crino mewn casgenni pren. Credai Idwal ei fod yn adnabod un o'r ceir ond ar y funud honno allai o ddim cofio pwy oedd y perchennog. Pan agorodd y drws cafodd sioc o weld wyneb Gwerfyl Hughes yn ei gyfarch, ond nid yn ei groesawu. Chafodd o ddim cyfle i agor ei geg.

"Dilys gysylltodd. Isio rhywun i fod yn gefn iddi. 'Dan ni'n llawia ers blynyddoedd. Newyddion drwg sy gynnoch chi?" gofynnodd yn gyhuddgar.

"Alle fod yn waeth, mae'n siŵr."

"Well i chi ddod i mewn 'ta. Drwodd mae hi."

Gan fod Gwerfyl yn bresennol penderfynodd mai gadael y cwnstabl y tu allan fyddai gallaf. Roedd y blismones ifanc yn ddiolchgar. Eisteddai Dilys Jones yn ei dillad Sul ar gadair gefnuchel yn y parlwr, fel y lle gorau mae'n debyg i glywed y newyddion gwaethaf. Cyflwynodd Idwal ei hun ac adroddodd ei neges yn gryno gan gyfeirio at leoliad y ddamwain.

"'Machgen bach i. Be oedd o'n da yn fanno o bob man?" sibrydodd yr hen wraig wrthi ei hun. Bron nad oedd y geiriau 'o bob man' yn taro'n ddigri, meddyliodd Idwal, fel pe bai enw'r lle'n anaddas i ddigwyddiad mor erchyll. Cyn iddo lunio ymateb ychwanegodd yr hen wraig, "Fuon ni yno rywdro... Merchaid y Wawr, 'do, Gwerfyl?"

"Taith Islwyn Ffowc Elis."

"Ia, 'te. O! Be wna i? Ga i fynd i'w weld o?"

Estynnodd y Sarjant bapur a rhif cyswllt yr ysbyty ac enw'r ward. Rhoddodd ei rif ei hun a'i hannog i gysylltu os oedd angen. Roedd hi'n syllu i'r gwagle ac yn ysgwyd ei phen yn araf.

"Dydi o ddim yn gwybod be 'di perygl, wchi, ond mi ddychrynith ar y peth lleia. Yr hen oleuada glas yn fflachio ar y ffor' i fyny gododd ofn arno fo, reit siŵr. Cr'adur bach." Wrth i Idwal ystyried y newyddion clywodd lais Gwerfyl.

"A roedden nhw'n dŵad yn gyflym, meddach chi, Dilys?"

"Oeddan, dŵad fel fflamia. A be ddigwydd rŵan, 'te?"

Doedd fiw dweud dim mwy nag oedd rhaid. "Mi gown weld pan ddaw o ato'i hun, Mrs Jones." O leiaf roedd tinc gobeithiol i hynny, am ei werth. A'r holl amser roedd Idwal Davies yn ymwybodol bod llygaid craff Gwerfyl Hughes wedi eu hoelio arno ac yn dehongli pob pwyslais.

"Be sy arna i; mi gymwch baned, Mr Davies, a chitha 'di dod yma yr holl ffor'."

Gwrthododd, gan ddiolch i'r hen wraig, a chymryd hynny fel esgus i godi a hel ei hun at y drws. Daeth Gwerfyl i'w hebrwng.

"Llanast, Idwal. A chi ddaru eu cyfeirio nhw yma, 'te? Cael Bob i 'nhwyllo inna."

"Dim twyllo, Gwerfyl. Gneud 'y ngwaith."

"Wel, mi fydd ar gydwybod y ddau ohonan ni os digwydd rwbath gwaeth i'r hogyn yna. Ac os daw o ato'i hun, oes gynnoch chi gyngor? I Dilys. Neu i Arwyn?"

Ystyriodd y cwestiwn am beth amser. "Na, dim fy lle i... ond mi ddyle fo ddeud y gwir, beth bynnag ydi hwnnw. Mi fydd yn well iddo fo yn y pen draw."

"Ac yn arbed amsar i chitha."

Doedd dim ond dirmyg yn llygaid Gwerfyl Hughes a chaeodd y drws ar ei ôl. Cerddodd yntau yn araf am y car yng nghwmni PC Elis. Roedd hi'n gafael wrth i'r gwynt ysgubo o'r mynydd a deifio pob tyfiant. Yn y cae llwm tu isa'r tŷ safai rhesal wag a syllai'r defaid Cymreig yn llonydd ddisgwylgar arno. Y tu hwnt roedd golygfa odidog i lawr y dyffryn, godidog o leiaf pan ddôi'r tymhorau eraill. Digon tawedog fu'r siwrnai i'r dref. Roedd yn llwglyd a swrth wrth i'r diffyg cwsg a bwyd ei lethu. Ar ôl gollwng y blismones cafodd sedd mewn caffi cyfarwydd a phenderfynu nad heddiw oedd y diwrnod i ddechrau bwyta'n iach. Câi hynny aros tan y gwanwyn.

Erbyn iddo gladdu'r brecwast-drwy'r-dydd roedd yn dechrau difaru, ond anwesodd ei ail baned boeth wrth ystyried geiriau Dilys Jones am y goleuadau glas. Pam yn enw rheswm fydden nhw ymlaen wrth fynd i holi tyst? Beth oedd yn bod ar bobl? Synhwyrodd bresenoldeb rhywun a chododd ei olygon i weld corff sylweddol Edgar Prytherch yn llenwi'r lle.

"Jest y dyn. Dy weld ti trwy'r ffenast 'nes i a meddwl 'swn i'n lladd dau dderyn... ga i ymuno?"

"Debyg iawn. Paned? Ofynna i am fŷg."

"Na, na. Ar 'yn ffor' i nôl Mam dw i. Mynd â hi am ginio. Ond nid i fama beryg. Mae hi'n licio mwy o... le. A steil. 'Mbach o snob. Fel finna cyn i ti ddeud o."

Dyn a aned yn hanner cant oedd Edgar Prytherch. Wisgodd o 'rioed bâr o jîns yn ei fywyd. Croen glân a gwallt golau wedi ei gribo yn ôl yn donnau di-drefn.

"Ia, taro'r post ydw i a deud y gwir. Newydd gael galwad gan Dilys Jones, Llidiart y Mynydd. Ti newydd fod yn 'i gweld hi, medda hi. Mae hi 'di gofyn i mi gynrychioli Arwyn yn yr hen fusnes 'ma. Gwerfyl Hughes gysylltodd, deud gwir, a pan mae honno ar y *warpath*, ti'n deud 'ia'..."

"Dydi o ddim 'di'i gyhuddo o ddim byd."

"Nac ydi, ond mae mater y ddau blismon..."

Roedd wyneb Idwal yn hollol ddifynegiant.

"Paid â sbio mor ddi-niw. Pawb yn gwbod, Idwal. Ac fel y gwyddon ni dydi'r hogyn ddim yn llawn llathan, nac 'di? Ac mae'n bwysig felly bod rhywun efo fo os, neu pan, y caiff o'i holi. Byddai unrhyw beth arall yn amharu ar 'i hawliau dynol o, yn bydda? Ac yn tanseilio unrhyw achos llys wrth reswm. Gair i gall."

"Dw i ddim yn siŵr ydi hi'n deg deud nad ydi o'n llawn llathen..."

Tynnodd Edgar ryw wyneb 'be wn i' cyn ychwanegu,

"Wel, dydi o ddim cweit 'run fath â chdi a fi, nac 'di? Ma raid i ti gyfadda hynny."

O'r olwg ar wyneb y cyfreithiwr hyderus doedd Idwal ddim yn siŵr o'i le ei hun yn y grŵp dethol tri deg chwech modfedd.

"Hen fusnas hyll, Idwal, be bynnag oedd hi. Fuodd hi'n llnau acw, sti. Hogan ddel, cofia. Ond… coman. Ti'n dallt be sgin i. Ond dyna fo, merch Bryn Bril ydi hi – oedd hi. Ta waeth, doedd hi ddim yn haeddu hynna." A dechreuodd ar y gwaith trwsgl o gael ei gorff allan rhwng coesau'r cadeiriau a'r bwrdd.

"Ti'n 'i nabod o? Bryn, 'lly."

"Na. Werthis i dir ar 'i ran o rywdro… mae dwy flynadd ers hynny. 'Di breuddwydio gneud 'i ffortiwn wrth gwrs. Fel pawb. Brynodd Bob Hughes y caea oddi wrtho fo. Achub 'i groen o, deud gwir."

Erbyn hyn roedd Edgar Prytherch yn glir o'r cadeiriau ac yn barod i gamu allan i'r byd ac at ei fam.

"Mae'r Cwîn yn disgwyl. *Must go*. Cym ofal."

Teimlai Idwal y gadair yn galed dan ei ben ôl a chododd i dalu ond troellai yn ei ben orawydd y twrne i gofnodi ei gyswllt â Debbie, y goleuadau glas yn fflachio a Bob Hughes yn gwneud 'tro da' â Bryn Richards. Efallai fod Dave yn iawn wedi'r cwbl a bod pawb *'as thick as thieves'* yn y lle.

Yng ngwres yr orsaf roedd hi'n teimlo fel y diwrnod wedi'r ffair a synhwyrai fod amryw yn credu bod y cyfan drosodd ac mai mater o amser bellach oedd hi cyn bod y darnau yn disgyn i'w lle ac Arwyn mewn cell, os na lwyddai i ddianc rhag ei dynged mewn arch. Cafodd Idwal ymweliad annisgwyl gan Dave.

"Duwcs, wyt ti yn d'ôl? Mae dy fêt, Glyn, ar 'i ffor'. Bydd

y bòs yma mewn hanner awr ac ma hi isio ti iste i mewn pan 'den ni'n holi mei nabs. Ac os ydi o'n deud celwydd am neithiwr ti'n dangos hynny i ni, ok? Pigo dy drwyn ne rwbeth fel nene. Reit?"

Anwybyddodd Idwal y sylw a gofyn a oedd unrhyw wybodaeth newydd wedi dod i law. Dim byd ond bod un tyst yn cofio Debbie ac Arwyn yn cael sgwrs wrth y toiledau, ond roedd cof hwnnw braidd yn niwlog. Roedd profion ar y fan am olion bysedd Debbie yn digwydd tra oedd fforensics yn profi dillad Debbie am DNA ac olion bysedd Arwyn, unrhyw beth a allai gysylltu'r ddau. Doedd dim syndod bod Dave wedi ei argyhoeddi mai gydag Arwyn a'r fan yr oedd yr allwedd i egluro digwyddiadau nos Sadwrn. Penderfynodd ddweud wrtho mai Edgar Prytherch fyddai'n cynrychioli Arwyn.

"Ydi o'n da i rwbeth?" oedd cwestiwn Dave.

"Da i rwbeth?"

"Ie. Be ydi o? Twrne drama ne 'di o'n medru piso a siarad yr un pryd?"

Er mor atgas oedd y ditectif, adroddodd amheuon Jeff Judge a'r straeon a fu'n cylchredeg am Edgar gan bwysleisio nad oedd prawf o fath yn y byd. Ddywedodd Dave ddim, ond diolchodd cyn codi o'i sedd. Roedd geiriau Dilys Jones yn dal ar feddwl Idwal wrth i Dave droi i fynd.

"Oedd angen rhoi goleuadau glas ar y car i fynd i holi Arwyn neithiwr? 'I fam o'n siŵr mai dyna ddychrynodd o."

"Well, she would, wouldn't she?" oedd yr ateb parod. "Ac ar dy ffycin *goons* di oedd y bai, i ti ga'l dyall. Hwyr, toedden, ac wedi rhoi'r goleuadau mlaen i guro'r traffig... y *rush hour...* ha ha. Ac oedd Starsky and Hutch yn joio'u hunen gymint nes eu bod nhw 'di anghofio droi o ffwr'. *Pillocks*. Felly cer i ddeud wrthyn nhw cyn bod yn *holier than thou* efo fi, mêt."

Eisteddodd Idwal yn ei gadair yn teimlo trueni drosto'i hun am rai munudau cyn i Carys ddod i mewn efo paned yn ei llaw a'i gosod o'i flaen.

"'Dach chi'n iawn?"

"Grêt. Dw i ddim 'di cael cystal diwrnod ers i'r gath farw."

"Hidiwch befo. Toes neb yn 'i licio fo, 'chi."

Erbyn iddo gyrraedd cyfweliad Glyn Williams, roedd yn berffaith sicr bod yr hanner awr nesaf am fod yn wastraff amser. Hyd yn oed pe bai modd profi bod y coedwigwr wedi rhoi'r goriad yn nwylo Arwyn, pa wahaniaeth fyddai hynny'n ei wneud i'r achos? Doedd hwn yn ddim ond ymarferiad seithug am nad oedd dim arall yn digwydd, ond nid ei le fo oedd gwrthwynebu. Pan gerddodd i mewn cafodd ei gyfarch gan Glyn.

"Dyw, Davies, ma'n nhw wedi rôpio'r gwes bech i mewn, yden nhw? Esgob, mae'n seriws 'ma."

Cafodd rybudd, am ei drafferth, i ateb cwestiynau a dim arall. Trodd Dave y peiriant recordio ymlaen gan restru'r manylion. "This interview is being conducted by DS Dave Griffiths..." Wedi iddo orffen dechreuodd Dave ar ei holi.

"Can you explain exactly the events of last night and how you came to be in conversation with Sergeant Idwal Davies at approximately 2 a.m. on Lôn y Cwm?"

Bu tawelwch am rai eiliadau, yna dechreuodd Glyn.

"Ti'n medru Cymraeg, cog."

Syllodd Dave arno fel pe bai newydd lyncu lemwn, a heb ddim lol aeth Glyn rhagddo yn ei famiaith. Aethai i'w wely tua un ar ddeg yr hwyr gan ei fod yn codi'n blygeiniol at ei waith. Roedd olion y gwaith hwnnw wedi eu naddu ar ei gorff main gwydn; wyneb wedi arfer efo tywydd a bysedd a chledrau ei ddwylo fel lledr wedi ei sgythru. Ond roedd ei lygaid yn dawnsio wrth wynebu'r hen elyn unwaith eto. Cafodd ei ddeffro gan ei wraig oherwydd y goleuadau glas yn fflachio trwy'r coed. Fel gŵr da, cododd ac aeth allan i weld be oedd yn digwydd.

"Oedd dy ffôr bei ffôr di yno amser hynny?"

"Be wn i?"

"Wnest ti ddim sylwi?"

"Na, ro'dd car y wraig o flaen y giât ffrynt. Pam 'swn i'n poeni am y Suzuki?"

Roedd gweddill ei atebion yn cyfateb mwy neu lai i adroddiad Idwal.

"Wedyn, ar ôl i Mr Davies 'ma 'yn siarsio i fynd i 'ngwely, dyne 'nes i."

"Wnest ti ddim sylwi wrth gered i fyny'r dreif bod y Suzuki 'di mynd? Er bod tortsh yn dy law."

"Naddo. Ro'n i 'di 'i pharcio hi yn nes i fyny yn ganol rhyw fashîns erill. A pam 'swn i'n meddwl bod Arwyn na neb arall isio'i dwyn hi?"

"Dydi neb 'di menshynio Arwyn," meddai Lucy Green yn dawel. Bu saib cyn i Glyn ateb.

"Chi'n meddwl 'mod i'n wirion, 'te be? Dau dditectif a sarjant yn fy holi i achos bod rhywun 'di dwyn hen groc? Go blydi brin. Godes i bore 'ma am chwech a pan es i allan, dim pic-yp. Ac mi ffonies y polîs yn syth."

Edrychai Dave fel pe bai newydd glywed stori am y tylwyth teg a gofynnodd yn nawddoglyd,

"A sut, Mr Williams, roedd y lleidar wedi tanio'r pic-yp a'i dreifio heibio dy ddrws ffrynt di heb i ti na dy wraig sylwi?"

Yn bwyllog iawn atebodd Glyn, "Wel, dw i 'di bod yn meddwl am hynny fy hunan bach drw'r dydd. Dw i'n gythgam am golli goriade, yli, a be dw i'n neud ydi 'u cadw nhw uwchben y feisor yn y cab."

"Dros nos?"

"Dros nos hefyd ac yn gwaith. Pwy ddiawl ddôi acw i ddwyn hen beth fel'na, y? Ro'dd Arwyn yn gwbod am hynny, debyg iawn. 'Di gweithio efo ni lawer gwaith, tydi. Wedi 'i gyrru hi he'd."

"Ond mae'n siŵr bod hi'n gneud uffen o sŵn wrth 'i thanio. Hen groc, fel ti'n deud. Fyddet ti 'di deffro, siawns. Ne dy wraig."

"Ti'n iawn. Ond 'se Arwyn, unweth o'dd y goriad yn y clo, 'di gallu gwthio'r siandri a neidio mewn, *freewheel* lawr y dreif a'i thanio hi ar y ffor' fewr wrth fynd, byse? Symud pic-yp yn ddim byd iddo fo. Be sy 'di digwydd iddo fo?" Roedd consýrn yn llais Glyn.

Allai Idwal ddim llai nag edmygu esboniad y coedwigwr, gwir ai peidio. A gallai ddweud ar ei osgo bod Glyn yn teimlo ei fod am unwaith wedi cael un fuddugoliaeth fechan fach ar geidwaid cyfraith a threfn ei Mawrhydi. Edrychodd y ddau holwr ar ei gilydd a chytuno bod y cyfweliad ar ben. Adroddwyd y brawddegau ffurfiol er budd y peiriant.

"Mae Arwyn 'di bod mewn damwain ac mae yn y sbyty mewn coma. A ma dy pic-yp di yn rhacs. Ffoniwn ni i ddeud pryd gei di fynd i nôl hi – efo *breakdown*." Cafodd y ditectif y gair olaf o leiaf a cherddodd allan yn surbwch. Daliodd Glyn lygad y Sarjant a rhoddodd winc slei.

"Tyd. Allan. Cyn i mi dy restio di am *soliciting*."

Cerddodd y ddau am y grisiau. "Fydd o byw, Sarjant?"

"Pwy a ŵyr? Y pedair awr ar hugain cynta'n bwysig, medden nhw, ond be wn i."

"Fedra i ddim credu byse fo'n lladd y lodes fech 'na. Ofn merched trwy'i din ac allan."

"Ofn yn gneud pethe rhyfedd i bobol, Glyn."

"Ydi, 'wrach. Ac os ydech chi, neu y nhw," gan amneidio ar i fyny, "wedi penderfynu mai fo ddaru, mae hi wedi darfod ar yr hen foi."

"Paid â rwdlan, mi fydd rhaid cael prawf, yn bydd? Rhyw dystiolaeth bendant cyn cyhuddo."

Edrychodd Glyn Williams i fyw llygaid Idwal. "Ti'n deud? Pedwar Guildford. Chwech Birmingham. Hillsborough. Digon hawdd creu prawf, tydi, bob amser. Cymrwch ofal, Mr Davies." A diflannodd i'r gwyll. Wyddai Idwal ddim yn iawn ai cyngor, rhybudd neu fygythiad oedd geiriau olaf y gŵr o Aberllefenni.

Dychwelodd a sylwi bod Lucy Green yn dal i eistedd yn yr ystafell gyfweld yn synfyfyrio. Aeth i mewn.

"Ydi o'n dweud y gwir, Sarjant?" meddai yn ddidaro.

"Ydi o ots?"

"Na, *not really.*" Syllai ar y ddesg heb symud gewyn. "Diolch yn fawr am bore 'ma. Ddim yn hawdd i ti... na hi. *God!* Beth wyt ti'n dweud... llanast?"

"Pwy faga blant?"

Rhythodd ei fòs arno yn ddiddeall a bustachodd Idwal i esbonio'r dywediad gorau y gallai.

"Oes plant efo ti?"

Daeth y cwestiwn yn annisgwyl ond o hir arfer atebodd yn ddigyffro, "Nag oes, nag oes."

Roedd meddwl Lucy Green yn rhyw fan arall.

"Rydw i... rydyn ni yn meddwl cael plant. Wel, plentyn," a gwenodd. "Fy partner a fi."

Wyddai Idwal ddim sut i ymateb i'r tro annisgwyl yn y sgwrs.

"O, gwych. Pob lwc. Be mae o'n neud? Y partner, 'lly."

Cododd Lucy Green ei golygon fel pe bai'n ystyried ei hateb.

"Hi. Rwyt ti'n gwybod hynna... na? Mae hi'n gweithio i Oxfam."

Gwnaeth ei orau i edrych yn hollol ddidaro wrth chwilio am y peth callaf i'w ddweud. Ond fe wyddai ei fod yn gwrido. Roedd angen gadael yr ystafell heb greu embaras, heb greu mwy o embaras.

"Wel, pob lwc i'r... ddau... y ddwy ohonoch chi, 'te. Ffantastig. Well i mi..."

"O, Sarjant. Rwyt ti'n *embarrassed*!"

"Nac dw, na, dim ond..."

Baglodd hithau dros ei geiriau. "Roedd fi'n meddwl mae pawb yn gwbod. Sori. Mae'n drwg iawn gen i."

"Na, na, dim o gwbwl. Argol, na, pawb at y peth y bo." Doedd hynny ddim yn swnio'n iawn chwaith. "Dw i'n falch iawn drostoch chi, chi a'ch partner, debyg iawn, mae'n siŵr bod ganddi job ddiddorol iawn, Oxfam, a dw i'n siŵr y bydd y dd... ddwy ohonoch chi'n hapus dros ben. Grêt. Wel, well i mi fynd. Dipyn o bethe i'w sortio a wela i chi bore fory os byw ac iach. Hwyl," a chamodd yn gyflym am y drws a'i wyneb yn fflamgoch heb roi cyfle i Lucy Green ddweud gair.

Syllodd hithau ar ei ôl yn gwenu a difaru yr un pryd.

Yn ei swyddfa, caeodd Idwal Davies ei lygaid mewn cywilydd llwyr. Pam ddiawl nad oedd rhywun wedi ei rybuddio? Gadael iddo wneud prat llwyr ohono'i hun fel yna. Duw a ŵyr beth oedd Lucy Green yn feddwl ohono – josgin o'r wlad, mae'n siŵr, 'tae hi'n gwybod beth oedd josgin. Doedd dim i'w wneud ond diflannu adref cyn iddi ddod i chwilio amdano i ymddiheuro ac ychwanegu at ei embaras.

*

Safai'r Arolygydd Lucy Green yn ei swyddfa yn syllu ar dudalen fawr o bapur a orchuddiai fwrdd lle roedd enwau a rhai lluniau wedi eu gosod o gylch ffotograff. Uwchben y llun canolog roedd enw Debbie Richards; oddi tano, yr enw Harry. Yn is i lawr roedd hen lun o Bryn Richards mewn crys Leeds United ac wrth ei ochr enw y mab, Mark. Ar y chwith roedd hen lun yr heddlu o Gavin O'Neill ifanc chwyslyd. Y tu draw i'r llun hwnnw rhes o enwau cwsmeriaid y Pen-y-Bont fu'n sgwrsio â Debbie ar y nos Sadwrn. Ar ochr dde'r papur roedd enw Arwyn a llun aneglur du a gwyn ohono yn ei ddillad gwaith a'i wallt cyrliog hir yn chwalfa. Wrth ei ymyl roedd enw Glyn Williams a hen, hen lun o'r ffeiliau. Tynnodd Lucy linell o lun y ferch at lun mab Llidiart y Mynydd ac un fer at enw Glyn. Bu bron â rhoi llinell drwy enw'r coedwigwr ond ymataliodd.

Yng nghornel ucha'r papur ar y dde gosodwyd llun Iqbal Saffir, y deliwr cyffuriau, a llinell doredig yn rhedeg at gylch gwag a llinell bellach at Debbie. Yn y cylch gwag ysgrifennodd y geiriau 'enw/name'. Yn y gongl chwith uchaf roedd amser wedi ei nodi; 2.30 p.m. – 8.30 p.m. Cydiodd mewn pensel a rhoddodd farc cwestiwn o dan yr amseroedd. Gwnaeth gylch o gwmpas enw Iqbal Saffir a thanlinellu'r geiriau 'enw/name', a thynnodd gylch arall o gwmpas enw a llun Arwyn. Rhoddodd ochenaid, gwisgo'i chôt, diffodd y golau a chau'r drws.

*

Anadlai Idwal yn drwm wrth iddo ddringo i fyny at ei gartref. Cyrhaeddodd a throdd i edrych yn ôl ar y pentref islaw a'r traeth graean hanner lleuad. Adlewyrchai goleuadau'r stryd yn y dŵr gan greu darlun perffaith, er gwaetha'r tai haf tywyll a frithai'r pentref. Roeddent yn ffodus iawn o gael byw yn y fath le, er ei fod yn gallu enwi cartrefi'r Cymry Cymraeg bellach bob yn un. Trodd at y feranda o haearn bwrw solet a wynebai wyntoedd Môr Iwerddon. Fydden nhw byth wedi gallu fforddio'r ffasiwn le ar ei gyflog ei hun. Ei etifeddu wnaeth Llinos gan hen fodryb a briododd yn dda gyda siopwr dwfn ei boced a gwantan ei iechyd, ac a fu'n croesawu ei gornith yn ystod gwyliau haf diderfyn am flynyddoedd.

Cerddodd ymlaen gan wrando ar y tonnau yn llepian yn gyson ar y creigiau islaw. Gwelai amlinell Moel Cynghorion a'r Rhinogydd yn silwét yn erbyn yr awyr serennog. Fuodd o erioed ag ofn tywyllwch. Roedd rhai o'i atgofion cynnar yn gysylltiedig ag oriau'r hwyr. Cofiai gerdded adref yn blentyn gyda'i fam adeg y gwyliau wedi ymweld â rhyw 'dodo' a 'dewyrth' nad oedd yn perthyn dim iddynt, ac wedi bod yn cnoi cyflaith a chyffug melys drwy'r nos tra oedd ei fam yn hel straeon a chwerthin nes bod dagrau yn llifo; neu yn swatio wrth y ffendar bres gefn gaeaf yn y gegin; clapiau glo anferth yn hisian a phoeri nwyon a mwg yn y *range* ddu tra oedd ei dad ac Yncl Charlie yn chwarae draffts ac yn tynnu ar ei gilydd a'i fam yn eu siarsio i fyhafio o flaen y plentyn. Syllodd allan dros y bae gan deimlo'r tywyllwch yn lleddfu pryderon pitw'r dydd fel papur blotio yn amsugno inc.

Llifai'r golau trwy'r ffenestri a drysau gwydr y lolfa a sylwodd ar ei wraig yn lled-orwedd ar y soffa gan anwesu pen y ci yn ddioglyd. Roedd y ddelwedd wedi ei fframio yn berffaith. Cofiodd am lun welsai mewn cylchgrawn rywdro gan arlunydd o Americanwr – Harper? Hooper? Llun wedi ei dynnu o'r tu allan i ffenest caffi yn y nos a'r cwsmeriaid prin fel dieithriaid mewn llong ofod, ac er mor normal oedd yr olygfa cofiai deimlo rhyw arswyd anniddig ac am eiliad fe'i meddiannwyd gan ofn.

Tarfwyd ar ei feddyliau gan oleuadau car yn gyrru i fyny'r dreif. Camodd naill ochr a chodi ei law i warchod ei lygaid. Clywodd lais cyfarwydd Bob Hughes yn ei gyfarch.

"Arclwy', dos i mewn cyn i ti gael niwmonia."

"O, chdi sy 'na."

"Paid â swnio mor siomedig. 'Di bod efo'r Brodyr ydw i. Jest galw o ran 'myrrath."

"Tyd i mewn."

"Na, ddo i ddim neu mi fydd 'y nghroen i ar y pared gan nacw. Jest galw i ddeud bod Gwerfyl 'di bod â Mrs Jones, Llidiart y Mynydd i Wrecsam pnawn 'ma. Roedd Dilys Jones yn rhyw feddwl bod Arwyn wedi ymateb i'w llais, rhyw symudiad yn 'i lygid o, medda hi, a'i fod o wedi gwasgu mymryn ar 'i bysedd hi. Ond mi fuodd Gwerfyl yn siarad â'r staff a roedd rheiny yn ama hynny'n fawr. Dim ond adrodd hynny o'n i, er mwyn i ti gael gwbod."

"O, 'na chdi. Diolch." Ddaeth o 'rioed yma i ddeud hynny wrtha i, meddyliodd. "Sut oedd hi tua'r lodj?"

"Tudor yn mynd trwy'i betha, fel bydd o. Pawb yn holi am yr hen fusnas 'ma, wrth gwrs. Tudor yn ama na fydd yr hogyn yn cofio dim byd. A bod gynno fo lechan yn rhydd. Damwain. Dynladdiad 'wrach? Fedri di weld sut mae 'i feddwl yn troi, medri? Well i minna 'i throi hi. Gad i mi wbod os medra i helpu."

Ystyriodd Idwal a oedd hi'n werth holi neu beidio fel y camai Robert Hughes i'w gar.

"Deu'tha i, Bob. Pam 'nest ti'm sôn bo' chdi wedi prynu tir gan Bryn Richards?"

"Ydi o'n bwysig?"

"Wel, nach 'di, am wn i."

"Ydi o'n berthnasol i rwbath?"

"Methu dallt pam na fyset ti 'di sôn, dyna'r oll."

Caeodd y cynghorydd y drws a chamu at Idwal.

"Tudor a'i geg fawr eto, ia?" a gwenodd yn llydan. "Tydi o'n hen brep. Os wyt ti isio gwbod, a mae'r ffeithiau i gyd ar gael yn y Gofrestrfa Tir, mi brynodd Bryn ddarn o dir gan Roli Llain Wern, cansar arno fo, medden nhw, ac yn trio gneud llai. Mi fuodd Bryn yn gweithio iddo fo ryw oes. P'run bynnag, caeau sy'n ffinio efo stad dai Glan Wern ydyn nhw yn dre 'ma a mi fuodd 'na ganiatâd cynllunio arnyn nhw, neu, a bod yn fanwl gywir, mi fuon ar ddogfen fel tir datblygu ryw dro. Werthodd Roli'r tir yn rhesymol iawn a Bryn yn disgwyl gneud ffortiwn wrth reswm. Meddwl bod o 'di cael bargan. Pan sylweddolodd nad oedd caniatâd ar y tir bellach mi aeth a chwara meri hel efo swyddogion y cyngor; cyhuddo nhw o bob dim, bygwth Ombwdsmon a barn yr Hollalluog am wn i. Gesh i wbod achos rown inna dani hefyd. A deud y gwir doedd o ddim yn fuddsoddiad ffôl, tasa gin ti bres ac amsar i ddisgwyl. Doedd gan Bryn y naill na'r llall, nag oedd? Dim pres nac amsar. Mewn dylad hyd at fama, a rŵan, dim ffor' i dalu'r ddylad. Ro'dd o yn y cach. Es i ato fo a chynnig prynu'r tir. Doedd o ddim ar 'i golled. Diwedd y stori."

"Pam 'nest ti beth felly?"

"Fel ma ffarmwrs yn licio deud, does dim rhagor o dir yn cael 'i greu. Ac mae'n dipyn gwell na rhoi arian yn y banc, tydi? Ac 'wrach 'mod i'n teimlo dros yr hen ffŵl. A dyna chdi. Hapus rŵan?"

Dychwelodd Idwal i'r tŷ yn teimlo fel chwech ac yn diawlio'i hun am fod mor fyrbwyll.

"Be oedd gen Bob Hughes i'w ddeud?" gofynnodd Llinos.

"Dim byd o bwys." Cerddodd yn anniddig at y ffenest.

"Fuoch chi'n hir iawn yn trafod dim byd o bwys."

"Bryd i mi ymddeol. Mi ro i 'notis i mewn pan fydd y peth 'ma drosodd."

"A be wnei di wedyn, Id? Be wnawn ni, wedyn?"

Edrychodd ei gŵr yn hurt arni. Er ei fod o'n hoff o eiriau, doedd y geiriau i esbonio ei hun ddim ganddo. Roedd fel dyn darbodus wedi troi'n gybydd heb yn wybod iddo'i hun ac yn methu taflu'r cast o'r neilltu. Atebodd Llinos ei chwestiwn ei hun.

"Ista fama, yn sbio ar 'yn gilydd tra'n disgwyl y diwedd? Gwaith sy 'di llenwi dy fywyd di."

"Dwn i'm. Mi ffendia i rwbeth, gnaf? Garddio."

"Garddio!" ebychodd hithau yn anghrediniol a chwerthin. "Ti'm 'di codi chwynnyn ers bo' ni yma."

"Ie, ond rwyt ti'n iawn, ma gin ti dy bethe dy hun."

"Oes, y fi. Dw i 'di gorod chwilio, 'do. Gneud bywyd i mi fy hun neu 'swn i'n dwlali, baswn?"

Safai Idwal yn stond yn chwilio am ateb.

"Yn baswn?" ailadroddodd Llinos y geiriau yn dawel. "Sôn amdanat ti dw i. Sôn amdanon ni."

Bu distawrwydd am rai eiliadau a deimlai fel oes, cyn iddo lwyddo i ddweud yn gloff,

"Pan fydd hyn ar ben ga i amser i feddwl... be i neud."

A daeth y dydd i ben.

Y pumed dydd

"MAE'R SWYDDFA DYWYDD yn rhybuddio y bydd y cyfnod oer yn debyg o bara am wythnos arall, ac er y bydd y tymheredd yn aros uwchben y rhewbwynt heddiw mi fydd hi'n teimlo'n oerach wrth i wyntoedd ysgafn o'r gogledd gyrraedd yn ystod y bore. Felly peidiwch ag anghofio'ch menig a'ch sgarff y bore 'ma."

"Diolch yn blydi fawr," ebychodd Idwal wrth ddiffodd radio'r car oedd yn nadreddu'n araf drwy strydoedd cefn llithrig y dref. Pe bai ffordd yn y byd iddo wneud, byddai'n chwarae triwant heddiw ac yn osgoi'r swyddfa yn gyfan gwbl. Roedd meddwl am wynebu Lucy Green yn codi pwys arno a phe câi Idwal unrhyw arwydd ei bod wedi rhannu stori neithiwr byddai'n marw o gywilydd. Dros y blynyddoedd gallai gyfrif â'i ddwy law y dyddiau yr aethai i'w waith heb edrych ymlaen at y diwrnod, a gwyddai yn rhy dda mor ffodus y bu yn hynny o beth o gymharu â chymaint o'i gydnabod. Ond heddiw roedd yn perthyn i'r llu mawr a lusgai i'w gwaith wysg eu tinau. Nid ei achos o oedd hwn; nid ei gyfrifoldeb o chwaith. Ei gynllun oedd mynd i'w swyddfa, cau'r drws a chladdu ei hun mewn gwaith papur di-fudd a galwadau diangen. A pham lai? Roedd rhai pobl wedi gwneud gyrfa ddigon parchus wrth ddilyn arferion tebyg.

Llwyddodd y cynllun am dri chwarter awr cyn i wŷs ddod o'r oruwchystafell bod angen ei bresenoldeb yno. Anadlodd yn ddwfn gan atgoffa'i hun i beidio ag ymateb i unrhyw brocio slei gan Dave. Yn yr ystafell safai'r drindod yn ddisgwylgar.

"Diolch am dod i fyny, Sarjant. Rydyn ni eisiau ffresh pâr

– *no*, pâr ffresh o llygaid a *local knowhow*. Iawn..." cyfeiriodd Green at y bwrdd lle gorweddai'r llun o Debbie a'r enwau o'i gylch. "Dyma lle rydyn ni. Gavin O'Neill. Mae o allan o'r ffrâm. Mae llawer o pobol wedi gweld O'Neill yn y bar yn hwyr pan mae Debbie yn wedi gadael. Cytuno?"

Doedd dim rhaid gofyn.

"Sion? Mr Richards a Mark," meddai Green.

Aeth Sion Gwyn yn ei flaen,

"Yn fyr, mae Mark yn deud bod 'i chwaer 'di cyrraedd Tan-y-graig bnawn Sadwrn ar y bŷs dau ac mae tystion i hynny. Mi alwodd dau fêt amdano fo, John Foulkes ac Elwyn Parry, yng nghar Foulkes, ryw hanner awr yn ddiweddarach. Mi fuodd y tri yn yfed o gwmpas y dre, gwylio dwy gêm rygbi, ac mi ddoth adre tua chwarter i un y bore. 'Dan ni'n gwbod lle maen nhw 'di bod, mae gynnon ni dystion a ma gyrrwr y tacsi ddoth â nhw yn ategu popeth maen nhw'n ddeud. Fo, Mark, oedd y sobra o'r tri. Ma rhaid bod gynno fo gyfansoddiad eliffant."

"Cyfan...?" holodd y Dirprwy.

Edrychodd pawb ar ei gilydd a dechreuodd y dynion wneud ystumiau â'u breichiau fel pe baen nhw mewn gêm o *charades*.

"Y... *make-up*," cynigiodd Sion.

"Make-up?" meddai Green yn anghrediniol.

"Na... y... *body*... ym."

"Body make-up?"

"Na, na."

"Wouldn't it be easier if we did this in English for God's sakes?" taerodd Dave.

"Na... dw i'n gwybod, *constitution*?" gwaeddodd Lucy Green yn fuddugoliaethus.

"Hwnna ydi o. Cyfansoddiad. Mae'n gallu golygu darn o gerddoriaeth hefyd neu ddarn o..." cynigiodd Idwal.

"For crying out loud. Davies, dw i ddim isio blydi gwers Cymraeg."

"Mae Dave yn iawn. *Sorry*. Sion. Cario ymlaen."

"Felly dydi Mark ddim yn y lle iawn ar yr adeg iawn beth bynnag a Debbie yn marw rywdro rhwng tua un ar ddeg a hannar awr wedi hannar-ish. Iawn? Wedyn 'dan ni'n dod at 'i dad, Bryn? Wel, mae o'n dod adra tua hannar awr wedi chwech nos Sadwrn, wedi cael pedwar peint, neu ragor. Rhagor o bosib. Neb yn tŷ, medda fo. Ro'dd hi wedi t'wllu erbyn hynny, debyg iawn. Mae o'n cynhesu pitsa, pendwmpian o flaen teli. Deffro a gwagio gweddill potal o whisgi a trio gwylio *Match of the Day*. Mynd i gysgu eto a pan ddaw Mark adra mae o'n dal i rochian yn y gadar. Mae Mark yn mynd â fo i'w wely, clirio 'chydig, ac i'w wely 'i hun. Does dim tystion, wrth gwrs, ond mae'r ddwy stori yn cyfateb a does dim arwydd bod Debbie wedi cyrraedd adra wedyn chwaith. Yr unig beth sy'n cefnogi rhan o'r stori ydi bod dau blismon a Sarjant Davies wedi clywad ogla diod ar wynt Mr Richards amsar cinio drannoeth ond..."

"Ok. Diolch, Sion." Tro Lucy Green oedd hi eto. "Mr Iqbal Saffir. Dydi o ddim gartref nos Sadwrn. Yn Manchester. Ond dyna'i *modus operandi* o. Dim gartref pan mae rhyw trais yn digwydd. Ond dydi dim byd arall yn *connecting* fo gyda Debbie *except for* yr *alibi* yn yr achos llys. Os oedd Debbie yn delio, yn gwerthu cyffuriau, mae yna *supplier* yn rhywle a *clients* yn rhywle. A mae rhaid i ni cael enwau. Byddaf yn dod 'nôl at hynny ar ôl. Dave?"

Roedd Dave yn gwneud ei orau i beidio dangos ei rwystredigaeth a'i farn mai gwastraff amser oedd gweddill y drafodaeth, ond aeth ati i gyflwyno ei sylwadau yn bwyllog. Cyfeiriodd at y ffotograff o Glyn gyda'i feiro. "Glyn Williams. *Failed terrorist.* Jôc! Dydi o ddim yn bwysig i ni. Mae gan ei wraig a fo *alibi cast iron* ar y nos Sadwrn. Dw i'n credu bod o'n deud *porkies* am y *four by four,* a bod o wedi helpu Arwyn i ddengid, ond, *whatever.* Dim ots i ni.

"Arwyn Jones. Mae adroddiad cyntaf fforensics wedi dod i mewn dros nos ar y fan. Mae olion bysidd rhywun, Arwyn ma raid, bob man dros y fan wrth gwrs. Maen nhw'n *distinctive*, achos mae'i fysidd o fel pawennau ac yn greithiau i gyd. Ac, yn fwy diddorol i ni, mae olion bysidd Debbie Richards ar gefn sedd y *passenger. Early days* ond 'wrach ei bod hi'n iste yn y sedd gefn. Ond os felly, pam?"

"*No ifs or buts*, roedd Debbie yn car Arwyn Jones rhyw amser," pwysleisiodd Lucy Green.

"Rhywbryd, dydd Sadwrn neu 'wrach dydd Gwener. Ond mae'r lluniau CCTV yn pwyntio'n gry at nos Sadwrn," pwysleisiodd Dave. "Un peth arall, mae dwy set o olion bysidd eraill ar ddrws *passenger* y car. Rhai eitha diweddar."

Torrodd Sion Gwyn ar ei draws, "Yn ôl un dyn gafodd sgwrs efo fo, fe fuodd Arwyn mewn dwrnod agored mewn gweithdy hen geir – *classic cars* – y pnawn Sadwrn hwnnw, ym Methesda, dw i'n meddwl. Ar 'i ffordd adra oedd o. Ac mi roedd 'na rywun hefo fo ym Methesda. Werth holi rhag ofn."

Aeth Dave yn ei flaen. "Mi gewn ni ragor o fanylion – *fibres* dillad, DNA *etcetera* – fory'r pnawn neu rywdro. Ac mae 'na un peth arall *crucial.* Mae olion bysidd ar gôt leder Debbie, ar yr ysgwydd, y cefn, bob man – olion sy'n matsio'r rhai sy dros *four by four* Arwyn fel rash. Ok. *Circumstantial* ond diawl, mae gin y boi 'na lot o waith esbonio, yn does? Ac ar y gôt hefyd mae 'na staen semen... ac os ydi hwnnw'n matsio DNA macnabs, wel... *game, set and match.*"

"Dim eto, Dave," a throdd Lucy Green at Idwal gan ei wahodd i roi ei farn. Roedd Idwal yn dal at ei benderfyniad i beidio cynnig dim na herio neb.

"Mae Dave yn gneud achos cryf iawn, ddwedwn i."

"Wel, tria edrych yn hapusach, 'te!" pryfociodd Dave.

Daeth wyneb Dilys Jones i feddwl Idwal, yn eistedd yn unig yn y gadair a'i byd yn dadfeilio o'i chwmpas.

"Go brin bod achos i neb fod yn hapus."

Roedd Idwal Davies wedi mulo ac roedd hi'n amlwg ar wyneb Lucy Green ei bod wedi disgwyl mwy o gyfraniad ganddo.

"Diolch, Sergeant. Ein problem mae bod y tyst mwyaf pwysig mewn coma a dydyn ni ddim gan *weapon* a dim *motive.* Dave? Beth wyt ti'n meddwl sydd wedi digwydd?"

"Yn y Pen-y-Bont mae Debbie yn chwilio am lifft adre. Mae galwad o rif Debbie Richards i Tacsi Cob am ugien munud i ddeg ond maen nhw'n rhy brysur."

Torrodd Sion ar ei draws, "Mark roiodd rif Debbie i ni achos mae'r ffôn 'i hun ar goll."

"Reit, wedyn mae hi'n gofyn i Arwyn am pàs neu mae o'n cynnig. Ar y ffor' mae o'n gofyn am neu'n hintio at ryw fath o *sexual favour.* Neu mae hi'n chwilio am bres, does gen i ddim syniad. O ie, sori, anghofies i, yn poced jacet Debbie roedd pres papur, tri deg punt, syth o'r banc. Dwy set o olion bysidd – rhai Debbie a'r rhai sydd dros car Arwyn. Mae rhywbeth yn digwydd, rhyw ffrae, rhywun yn deud rhywbeth ac mae Arwyn yn colli contrôl ac yn taro Debbie. *End of. Sordid* iawn. *Crime passionnel à la* Tan-y-graig," ychwanegodd yn null cymeriad o *'Allo 'Allo!* "Mae o isio 'madel â'r corff, a lle ti'n mynd â corff os wyt ti'n Arwyn? I'r fynwent, 'te?"

Heb yn wybod iddo fo'i hun clywodd Idwal ei lais yn holi, "Pam fod Debbie angen dod yn ôl mor fuan i Dan-y-graig?"

Ysgydwodd Dave ei ben. "Dim syniad."

"Mae Sarjant Davies gyda *bee* yn ei *bonnet* bod mae Debbie yn meddwl gadael Tan-y-graig yn y bore. Ond dydw i ddim yn meddwl. Dydi hi ddim yn wedi pacio dim byd... ond mae'r cwestiwn yn un dda."

Roedd yr Arolygydd yn eistedd bellach ac yn amlwg yn anniddig. "Mae Dave yn gwneud *case compelling.* Ond rŵan mae'n pwysig i ni cadw meddwl ar agor... agored? Cofia beth digwyddodd efo'r Yorkshire Ripper."

"Un peth os ca i..." Edrychai Sion yn anghyfforddus. "Falla mai fi sy'n mwydro... ond 'dan ni'n cymeryd yn ganiataol bod Debbie wedi cael ei lladd yn rhywle arall a bod rhywun wedi symud y corff i'r fynwent... sy'n ddigon tebygol. Ond pam symud y corff i le cyhoeddus a'i ddympio ar ben bedd? Dydi o ddim yn gneud mwy o sens bod hi yno'n barod... efo rhywun? Jest cynnig."

"Ganol nos, mis Chwefror a hithe'n *freezing*?" oedd sylw swta Dave.

"Cadw meddwl ar agor," meddai Lucy Green eto. "Ac un peth arall. Jest i bod yn saff rydw i'n eisiau gwybod mae Debbie yn *dealer* neu yn *mule* neu dim ond gwerthu neu dim byd? Os mae hi – oedd hi – pwy oedd ei *supplier*? Mae rhaid i ni edrych ar popeth, dim ots beth mae'n *gut instincts* ni. Pwy sy'n gallu mynd ar ôl y peth?"

"'Nawn ni archwiliad o stafell Debbie a gweddill y tŷ," cynigiodd Sion Gwyn.

Roedd meddyliau Idwal yn dal i grwydro wrth iddo hanner

clywed geiriau Lucy Green a daeth trafferthion nos Lun i'w feddwl.

"Mae pawb yma'n brysur. 'Wrach y medra i holi un neu ddau yn Nhan-y-graig am y busnes cyffuria 'ma ac adrodd yn ôl."

Tro Sion Gwyn oedd rhoi ei big i mewn. "Ac un peth bach diddorol arall, er dw i ddim yn siŵr be i neud ohono fo. Cyfri banc Debbie. Mae 'na bedair mil ar ddeg o bunna ynddo fo."

Bu eiliad neu ddwy o dawelwch tra oedd pawb yn ystyried arwyddocâd y newyddion.

"Un deg pedwar mil?" Roedd Dave yn gegrwth.

"A drosodd. Mae 'i chyflog yn mynd i mewn bob mis a dydi hi braidd byth yn tynnu dim byd allan. Talu ambell fil. Treth cyngor. Treth dŵr. Prynu rwbath weithia efo cerdyn. Felly, sut oedd hi'n byw? Ac ar be?"

"Rhy gormod o cwestiynau. Dim gormod o atebion. Eto. Mae rhaid siarad gyda'r ysbyty am Arwyn, Sion – rhag ofn. A dw i'n mynd i HQ i weld y Chief a siarad eto gyda'r *drug squad*. Diolch."

Dihangodd Idwal yn ôl i'w gwt gan ddiolch na ddigwyddodd dim byd gwaeth. Roedd blanced lwyd wedi disodli'r awyr las ac eira mân, mân yn disgyn yn ddioglyd ar yr awel ac yn casglu yn bentyrrau bach yn y corneli. 'Eira mân, eira mawr' efallai, ond cydiodd yn ei gôt wrth i'r ffôn ganu. Gwerfyl Hughes oedd yno. Roedd arni angen trafod mater o bwys efo fo. Llediodd brysurdeb er ei fod ar y ffordd i'r pentref p'run bynnag, ond doedd dim troi arni, ac fel yn achos llawer o ddynion a merched eraill ildiodd i berswâd gwraig y cynghorydd a chytuno i alw o fewn hanner awr. Wrthi'n gwisgo'i gôt a chwilio am ei oriadau oedd o pan ddaeth cnoc ar y drws. Cerddodd Lucy Green i mewn ar wib ac wedi paratoi ei llith.

"Mae rhaid i mi dweud sori i ti. Neithiwr. Na, paid dweud dim byd. Ni... dylai i ddim – *God, these verbs are difficult* – siarad am y pethau personol gyda ti. Amproffesiynol. Mae'n drwg gen i. Ok? *No hard feelings?*"

"Popeth yn iawn. Neb 'di brifo." Gwenodd Idwal mor ddidaro ag y gallai.

"Diolch." Gwenodd hithau yn ansicr a diflannu i'r eira a phlismones wrth ei chynffon yn cario'i phapurau.

Wrth yrru i fyny'r dyffryn teimlai fod y dydd wedi cau a'r llwydni gormesol yn sugno pob lliw o'r tir a'r tai. Penderfynodd wynebu gwg Gwerfyl Hughes cyn cyflawni ei briod dasg.

"Dowch i mewn. Diolch am ddod. Paned? Coffi?"

"Na, 'sa well i mi..." Chafodd o ddim cyfle i wrthod.

"Ewch drwodd. Fydda i yno rŵan."

Yn nrws agored y lolfa sylwodd ar lun gwreiddiol sylweddol o waith Kyffin Williams ar y wal, a'i baent trwchus llwyd a brown yn gweddu i'r diwrnod os nad i'r ystafell. Camodd at dirlun arall gwreiddiol gan Rob Piercy pan ddaeth llais annisgwyl o'r tu ôl i'r drws.

"Sarjant. Diolch i chi am ddod."

Trodd ar ei sawdl. Yn eistedd mewn cadair freichiau anferth roedd Dilys Jones. Dechreuodd ei feddwl rasio, a throdd yn ôl i wynebu Gwerfyl a safai bellach yn y drws â thri choffi ar hambwrdd. Yn hollol hunanfeddiannol dywedodd hithau'n dawel, "Ro'n i'n gwbod na fasech chi'n dod taswn i'n sôn am Dilys, ond mae hi angen cyngor a phwy well..."

"Gwrandwch, rydech chi'n gwbod na fedra i... Mae Mrs Jones yn fam i... un dan amheuaeth... mae'r peth yn hollol... allan o..."

"Steddwch, Sarjant, os gwelwch yn dda. Does a wnelo... y mater yma ddim â'r achos... ond mae Dilys mewn cyfynggyngor... a chi sy'n how-gyfrifol... ac mae angen rhywun i'w rhoi ar ben ffordd."

Doedd Gwerfyl ddim am symud o'r drws a doedd o ddim am greu helynt yng ngŵydd yr hen wraig, felly eisteddodd mor anfodlon ag y gallai. Sodrodd Gwerfyl y coffi o flaen ei drwyn. Doedd ganddo ddim dewis.

Cachfa.

"Well i chi adrodd 'ych stori, Dilys," meddai Gwerfyl yn dawel.

Edrychodd Idwal i'r tân yn surbwch fel bod y ddwy yn yr ystafell yn deall mai yn groes graen roedd o yno.

"Roeddach chi yng nghwest Trefor y gŵr, toeddach? Sylwis i arnoch chi. Rhwbath ffeind yn 'ych llygaid."

Be gythgam oedd hyn?

"Waeth i mi ddeud o ddim. Roedd Tref yn gallu bod yn frwnt 'i dafod... a fel arall, weithia. Pan 'naethon ni gwarfod, roedd o'n hwyl, dipyn o *teddy boy* rownd dre ac ro'n inna 'di mopio. Gyrru bysys oedd o; lorris wedyn. Toedd Tada yn hidio dim amdano fo o'r cychwyn, ond doedd hynny ddim ond yn 'y ngneud i'n fwy styfnig. Fel'na mae pobol, 'te? Ta waeth, mi ddôi i fyny i helpu ar y tyddyn. Roedd o'n reit dda hefo peirianna a petha felly. Tada ddaru brynu'r hen le pan oedd o yn y chwaral a bob yn dipyn, gwella'r tir a'r tŷ. Ond mi laddodd yr ymdrech o. Pan ddirywiodd 'i iechyd, a finna'n briod ac yn disgwyl erbyn hynny, mi ffeirion ni y ddau gartra, a dod yno i fyw. Er 'i fod o'n ffansïo'i hun fel ffarmwr doedd gan Trefor ddim 'mynadd efo anifeiliaid go iawn, a dw i'n meddwl i'r lle droi'n garchar iddo fo. Ac roedd diod yn 'i neud o'n waeth."

Cododd Idwal ei lygaid a gweld bod Dilys Jones yn ei byd bach ei hun ac yn adrodd stori roedd hi'n hen gyfarwydd â hi.

"Mi fyddai o'n colli arni yn llwyr weithia, fel dyn o'i go, am ddim rheswm yn y byd, fel tasa rhyw ddiafol y tu mewn iddo fo. A fi fydda'n cael y bai. Mi ddysgis i gau 'ngheg. Ond pan dyfodd Arwyn yn grymffast mawr, feiddia Tref ddim gneud dim o'i flaen o." Bu distawrwydd am dipyn fel pe bai yn chwilio am ben llinyn ei stori.

"Ia, wel, i dorri'r stori yn fyr. Pnawn y ddamwain mi aeth olwyn un o'r peiriannau i ryw ffos ac mi roedd Tref yn lloerig. Mi driis i ymresymu a deud y bydda Arwyn yn 'i ôl ymhen yr awr ond mi gydiodd yn y reiffl yn 'i hyll a mynd i'r sgubor i saethu llygod mawr. Mi fydda'n gneud hynny yn 'i dempar... rhwystredigaeth am wn i."

Er bod rhan gynta'r hanes yn newydd i Idwal roedd y rhan yma'n swnio'n gyfarwydd.

"Mi glywis ergyd, yna distawrwydd. Y peth nesa, mi ddaeth trwy'r drws fel y Gŵr Drwg ei hun. Y gwn wedi jamio ac ynta'n chwilio am oeliach neu dwlsyn. Mi driis i dawelu'r dyfroedd ond mi drodd arna i a bytheirio mai fi oedd wedi 'i hudo i'r twll lle, a rhoi hergwd nes o'n i ar fy hyd ar lawr a 'mhen yn taro'r wal."

Roedd wyneb yr hen wraig fel y galchen bellach a'i gwynt yn fyr. Croesodd Gwerfyl ati a rhoi ei braich am ei hysgwydd.

"'Na chi, cymrwch 'ych amser, Dilys. Peidiwch â chynhyrfu." Wnaeth hi ddim cydnabod y fraich na'r geiriau, dim ond parhau â'i stori.

"Rhaid bod Arwyn 'di cerad i mewn a 'ngweld i ar lawr ac mi ddengodd Tref allan. Erbyn i Arwyn 'y nghodi a rhoi diod i mi, mi gofis inna am y gwn. Mi redodd ynta allan ac am y sgubor. Rywdro wedyn mi glywis ddwy ergyd a rwsut mi lwyddes i groesi'r iard. Fanno oedd Tref ar wastad 'i gefn yn waed i gyd ac Arwyn wrth 'i ochor yn sbio'n hurt arno fo.

Yn ôl Arwyn... wedyn ddudodd o hyn... pan gyrhaeddodd y sgubor roedd 'i dad yn rhegi ac yn stryffaglu efo'r gwn. Mi aeth ato fo a gafael yn y faril. Yn yr ymrafael mi daniodd a'r siot yn taro'r to, ac wrth i'r ddau syrthio mi daniodd y gwn eto ac mi wyddon ni beth oedd y canlyniad."

Ddywedodd neb air am eiliadau lawer.

"Pam na ddudoch chi hynny wrth yr heddlu, Mrs Jones? Damwain. Pam deud celwydd?"

Distawrwydd. Yna,

"Ofn. Ofn na fydda neb yn credu. Ofn y bydda Arwyn yn cytuno ag unrhyw hen stori er mwyn stopio'r holi. Fedrwn i ddim 'i adal o ar ben 'i hun i gael ei groesholi mewn llys barn. A be wedyn? Be ddigwyddai i'r hen le bach 'cw, ac i minna?"

Er ei fod yn ysu i adael yr ystafell i gael amser i feddwl clywodd Idwal ei hun yn holi, "Pam ydech chi'n deud hyn wrtha i? A pham rŵan, neno'r Tad?"

Gwerfyl Hughes atebodd.

"Mi roesoch gyngor i Dilys i siarsio Arwyn i ddeud y gwir, doed a ddelo. A dyna mae hi 'di neud. Ond, fel rydach chi'n gweld, mae hi 'i hun yn teimlo rŵan na all hi fyw efo'r celwydd ddwedwyd yn y llys. Ac mae arni hi ofn i Arwyn, ac ynta fel mae o, gymeryd y peth yn llythrennol a deud y cwbwl."

"'Dach chi'n gweld, Sarjant. Wrth sbio ar Trefor yn marw o 'mlaen i, fedrwn i ddim teimlo dim... dim gronyn o gydymdeimlad, na... mwya c'wilydd i mi. Dim ond meddwl sut i warchod Arwyn. Fi feddyliodd am y celwydd. Neb arall. A dw i'n teimlo rŵan bod yn rhaid i mi syrthio ar fy mai cyn i betha..." Roedd ei gwefusau a'i chorff yn crynu a dechreuodd siglo'n ôl a blaen gan afael yn dynn yn ei phengliniau, ar goll yn ei hunllef ei hun.

"Beth fydda'ch cyngor chi, Sarjant?"

Edrychodd Idwal yn hurt ar Gwerfyl Hughes, ysgwyd ei ben a chodi. Roedd ar goll ei hun.

"Fedra i ddim cynnig cyngor o fath yn y byd. Mae... Mrs Jones angen twrne... neu weinidog 'wrach," ac anelodd am y drws cefn a'i feddwl yn corddi. Safodd am eiliad wrth i'r awyr oer daro'i wyneb a'i ysgyfaint a synhwyrodd fod rhywun y tu ôl iddo.

"Roedd gan Dilys ffydd ynot ti. Meddwl y baset ti'n dallt, yn cydymdeimlo."

Teimlodd Idwal ei galon yn curo'n gyflym ond gwnaeth ymdrech i beidio codi ei lais.

"'Dech chi'n gall, ddynes? Be dw i fod i neud? Deud dim er 'mod i'n gwbod bod celwydd wedi'i ddeud mewn cwest? Ddigon am 'yn swydd i."

"Y tro cynta i rywun ddeud celwydd mewn llys felly? Dyna wyt ti'n ddeud, Idwal?"

Trodd Idwal i adael gan wybod y byddai'n difaru aros. Yna, cymerodd un anadl ddofn ac ychwanegu,

"Be fase dy gyngor di i Dilys o gofio'r picil mawr mae 'i mab hi ynddo fo? Y? Mewn difri?"

"Deud dim. Ond roedd hi angen clywed hynny gen ti. Hi oedd yn mynnu," meddai Gwerfyl.

"Ti 'di rhoi'r ateb. Ond nid gen i cest ti o. Dydw i ddim 'di bod yma, naddo? Os newidia i 'meddwl a prepian, mi gei wbod i ti gael rhybuddio," ac amneidiodd Idwal at y tŷ. Ac am y tro cyntaf y prynhawn hwnnw daeth cysgod ofn i lygaid gwyrddlas Gwerfyl Hughes.

Eisteddodd Idwal yn y car a'i feddwl yn gybolfa o gwestiynau nad oedd ateb iddyn nhw.

*

Sadiodd ei hun. Roedd golau'r dydd yn pylu a gwaith i'w wneud, pe na bai ond i brofi bod ganddo reswm dros ddod i Dan-y-graig. Chafodd o ddim lwc yn y tŷ pen, ond clywodd chwerthin a lleisiau merched o dŷ cyfagos a churodd y drws.

"O, helô, Sarjant. Hei, June, mae *lover boy* 'di dod i chwilio amdanat ti. The Incredible Hulk! Panad, del?"

Trwy ddrws y stafell fyw gwelai Idwal fod tair o wragedd a'u crwyn fel cwyr yn janglo mewn cwmwl o fwg o flaen tân nwy. Yn eu plith eisteddai'r gymdoges gegog. Ar ôl ei darbwyllo nad oedd am restio ei meibion cafodd ar ddeall bod Neil, yr hynaf a'r callaf o'r ddau frawd, yn atgyweirio eiddo ym Meddgelert a bod y llall yn ei helpu. "Mwy o hindrans na'i werth, ond o leia dydi o ddim o dan draed adra," oedd sylw caredig y fam. Wrth ddiolch iddi am ei help gofynnodd Idwal yn ddiniwed, "Atgoffa fi. Faint o'r gloch ddoth Neil adre nos Sadwrn?"

"Dw i 'di blydi deud wrthach chi, 'do? Ro'dd o adra toc wedi un ar ddeg, ddeudwn i. Angan codi bora wedyn, toedd? Mae o ar 'i hôl hi efo'r lle 'na, neu cheith o mo'i dalu, medda fo."

Gadawodd yn sŵn chwerthin afreolus ac ensyniadau dychanol am ei gorff a'i wrywdod.

Doedd dim enaid byw yn cerdded strydoedd prysur Beddgelert pan gyrhaeddodd y lle a chribau'r mynyddoedd o'r golwg mewn niwlen. Daeth crawc cigfran i darfu ar y tawelwch. 'Annaearol' fyddai disgrifiad ei hoff fardd o'r lle, meddyliodd Idwal wrth groesi'r bont droed a bwrw golwg ar fynwent yr eglwys lle gorweddai. Yng nghysgod y graig swatiai dwy res o dai taclus. Roedd y drws pellaf ar agor a sŵn cerddoriaeth roc i'w glywed o radio gwael. Y tu allan safai micsar, sachau plastig a geriach gwaith. Anelodd amdano a gweld rhywun yn cario bwced i mewn trwy'r agoriad. Erbyn iddo gyrraedd y giât flaen clywodd lais blin yn bytheirio.

"A be ffwc dw i fod i neud efo hwn? 'I yfad o? Mae o fel pibo llo bach, Ger. Gymrith wsnosa i sychu, 'r lari – a does gin i ddim ffycin wsnosa, nag oes? Gna gymysgiad arall a symud dy din."

Daeth rhagor o regi o'r tu mewn cyn i'r brawd ieuengaf ymddangos yn cario bwced trymlwythog, yn cwyno a thyngu dan ei wynt.

"A paid â lluchio hwnna hyd yr ardd neu mi fydd y bastad Brooke 'na am 'y ngwaed i. 'Cin el."

Ar yr un eiliad clywodd glec wrth i ddarn o bren daro yn erbyn cilbost y drws a disgyn i'r llwybr. Wrth gamu drosto sylwodd Idwal mai'r pric a fu'n troi'r pinc-pibo-llo-bach oedd o a dotiodd at y disgrifiad. Camodd i gyntedd y stafell fyw foel oedd yn disgwyl côt o blastar i'w gorffen. Wrth glywed sŵn traed yn crensian ar y gro ar lawr trodd Neil yn ei dymer.

"Be...?" Stopiodd a syllu ar y plismon. Diffoddodd Idwal y radio llychlyd.

"Be ga i neud i chi, Sarjant? Dyma oeddet ti ar fin gofyn, Neil? Chware teg i ti."

Safai Neil yn hollol lonydd a'i lygaid wedi eu hoelio ar Idwal.

"Dy fam ddigwyddodd ddeud dy fod ti a dy frawd yn prynu, sut 'dech chi'n deud... gêr?... cyffurie gen Debbie." Prin bod llygaid Neil wedi symud wrth wrando ar y Sarjant. "Rŵan does gen i ddim diddordeb go iawn sut wyt ti'n llosgi dy bres, ond dw i angen gwbod sut oedd Debbie'n ffitio mewn i'r... busnes yma. Ti'n dallt?"

Dechreuodd y llanc ysgwyd ei ben a chodi ei ysgwyddau i awgrymu bod yr holl beth yn ddirgelwch hollol iddo. Gwenodd Idwal gan edrych o'i gwmpas ar y waliau.

"Joben handi, hon. Tŷ ha', dw i'n dallt? Ti angan 'i orffen o'n fuan, siŵr o fod. I ga'l dy bres. Rŵan, ti'n cofio be ddudes i… am y fan? Hen dro bod hebddi am wsnos… bythefnos 'wrach. Ac fel dw i'n deud, does gen i ddim diddordeb o gwbwl yn dy habits gwirion di. Ond dw i angen gwbod am Debbie. Sut? Ble? Pwy? Pres?"

Dechreuodd y llanc ymlacio a symud ei gorff.

"'Dach chi'n deud y gwir?"

"Plismon ydw i, Neil."

Gwenodd hwnnw. "'Dach chi'n deud y gwir?"

"Be oedd hi? Delio? Gwerthu?"

"Jest cario. Rhoi order i mewn. Talu. Mi fydda'n casglu'r stwff gan rywun yn dre a ca'l cyt am neud a mynd â nhw i'w chwsmeriaid. Fatha *home delivery* Asda."

"Pwy yn dre?"

"Dim syniad…"

"Neil. Y fan."

"Glywis i enw ryw foi. Scottie? Sgowsar? Welish i mono fo 'rioed."

"Be oedd hi'n werthu?"

"Be bynnag. *Dope, coke, speed*. Fel dudish i, Asda."

"Oedd hi ar rwbeth 'i hun?"

Cododd Neil ei ysgwyddau. "Be wn i? Sbliff efo ffrindia. Pawb wrthi, tydyn? Neu 'dach chi'n ddall? Gwrandwch, mae gin i waith…"

"Ie, iawn. A sut oeddech chi'n cael… yn derbyn y stwff? *Smoke signals*? Nicar coch ar y lein, math o beth?"

"Feri ffyni. Ffonio, 'te. A mynd i nôl o. Llwybr cefn nymbar tw."

"Cwsmeriaid erill. Pwy oedden nhw? Faint?"

"Be wn i? Chi 'di'r cops. Sbïwch ar 'i ffôn hi. Chwech? Dwsin? Be wn i?" Roedd o wedi hen golli ei amynedd. Clywodd sŵn y tu allan. Y brawd dwlali, mae'n siŵr.

"Diolch, Neil. Dw i'n gwerthfawrogi. Gwaith da. Ti'n dipyn o grefftwr, chware teg." Chafodd o ddim ymateb. Wrth gamu allan clywodd sŵn rhywun yn sgrialu rownd y talcen. Plygodd yn sydyn a chodi'r darn pren yn ofalus rhwng bys a bawd yn ei ganol a'i gludo am y car.

Erbyn iddo eistedd yn sedd y gyrrwr roedd Idwal wedi fferru a gwyddai fod gwresogydd y car ar y blinc. Roedd oerni y waliau cerrig wedi treiddio trwy ei ddillad i fêr ei esgyrn. A'r ddau lanc yn ymlafnio fanna heb bwt o wres ddydd ar ôl dydd heb wybod a gaent eu talu hyd yn oed. O fewn dim trodd y teimlad o falchder ei fod, o bosib, wedi gwneud prynhawn da o waith yn ddiflastod wrth i sgwrs yr hen wraig droelli yn ei ben. Ond allai o ddim yn ei fyw roi trefn ar ei feddyliau a dod i gasgliad rhesymegol ynghylch beth ddylai o'i wneud. Roedd ar goll.

Chafodd o ddim croeso yn y swyddfa am nad oedd neb yno i'w groesawu na chynnig paned iddo. Trefnodd i'r pric pren fynd i'r labordy i gael ei archwilio am olion bysedd fyddai'n cyfateb i'r olion ar ddrws sedd tryc Arwyn, neu beidio. Aeth i'r oruwchystafell i chwilio am Sion Gwyn i adrodd ei stori. Wrth gyrraedd y drws clywodd lais uchel cyfarwydd yn dod o swyddfa Lucy Green a gweld bod Edgar yno yn pregethu, ei fraich chwith yn arwain cerddorfa a bys blaen ei law dde yn taro'r ddesg o flaen y Dirprwy wrth iddo gyrraedd uchafbwynt ei berorasiwn. Syllai Lucy Green arno'n ddifynegiant wrth aros i'r storm dawelu. Edrychodd Idwal draw at Sion a gododd ei aeliau a'i annog i ddod draw i ddiogelwch ei gornel.

"Mae 'na ffwc o le yma!" a chwarddodd yn nerfus. "Arwyn 'di dod allan o'r coma a mae Defi a mei ledi isio gair bach efo fo bore fory – neu 'fory'r bore' fel deudodd Dafydd. Heb neb arall yn bresennol achos dydi o ddim wedi ei gyhuddo eto. Wrth reswm, mae Edgar yn bygwth popeth arnyn nhw gan gynnwys Armagedon am wn i. Be ga i neud i chdi?"

Wrthi'n adrodd ei stori oedd Idwal pan welodd y drws yn agor ac Edgar yn camu allan a'i gôt fawr drom a llaes yn chwifio amdano fel llenni theatr.

"I'm telling you, I'll have your guts for garters. No messing."

Edrychodd Idwal yn ddyfal ar bad sgrifennu ei gyd-swyddog i osgoi dal llygad y twrne blin pan beidiodd sŵn y traed.

"Mae hon, i chi gael dallt, yn mynd i gael gwbod ei hyd a'i lled erbyn i mi orffan hefo hi. Blydi gloman."

A phystylodd y corff sylweddol yn swnllyd i lawr y grisiau. Daliodd Idwal a Sion i graffu'n fanwl ar y ddesg.

"Rhwbeth arall o bwys gyn y Neil 'ma?" holodd Sion pan ddaeth llais Lucy Green o gyfeiriad y swyddfa.

"Beth yw 'gloman'?" yn hunanfeddiannol. Edrychodd y ddau ar ei gilydd fel plant drwg mewn capel a dechrau chwerthin yn aflywodraethus.

Erbyn i bawb ddod at eu coed roedd hi'n amlwg bod yr ymchwiliad wedi dod i saib naturiol a'r cyfan yn dibynnu ar y sgwrs yn Ysbyty Maelor y bore canlynol. Gallai'r cyfan fod drosodd erbyn cinio neu... neu byddent yn dal i ymbalfalu.

Cytunodd Sion i arwain y briffio boreol, er na fyddai dim i'w ddweud mewn gwirionedd. Prysurodd Idwal am ei swyddfa ac am adre. Wrth y ddesg yn y dderbynfa safai Neil Rees, yn llwch sment a phlastar pinc o'i het wlân i'w esgidiau gwaith.

"Be ffwc ti 'di gneud efo'r pric 'na? Y? Dwyn 'di peth felly. Dw isio fo 'nôl neu mi riportia i di. Ffycin cops."

"O't ti 'di 'i luchio fo drw'r drws, ar lawr," atebodd Idwal yn or-resymol.

"Lluchio at Ger 'nes i, 'te! Dim ata chdi, i ti 'i ddwyn o. Lle mae o?"

"Ar 'i ffor' i'r labs. Gweld os medrwn ni gael *match* i olion bysedd sy gynnon ni'n barod."

Crychodd Neil ei wyneb, gwyrodd ei ben ac estyn cic nerthol i ddesg y swyddfa.

"Well ti beidio, neu mi ca i di am ddifrod troseddol hefyd."

"Hefyd be?"

Roedd llygaid Neil bellach yn edrych heibio'r Sarjant.

"A! DS Sion Gwyn. Dyma Neil Rees fuodd yn help garw pnawn 'ma, fel dudes i. A dw i'n meddwl bod gynno fo ragor i'w ddeud rŵan."

Yn yr ystafell holi roedd tymer y plastrwr wedi troi'n ddiflastod surbwch wrth iddo lolian yn ei sedd i adrodd ei stori. Ar y dydd Sadwrn roedd o wedi bod yn yfed drwy'r prynhawn yn y dre: ac oedd, roedd o wedi meddwi, debyg iawn, ac wedi cael pàs i'r Pen-y- Bont tua naw a methu cael tacsi adre. Roedd ganddo waith bore wedyn, felly, roedd o angen cyrraedd ei wely. Yn hwyrach mi ddywedodd rhywun wrtho fod yr Arth newydd fynd am ei bic-yp a rhuthrodd ar ei ôl ac er bod Arwyn yn flin fel tincar efo fo, neidiodd i'r sedd flaen a gwrthod symud. Yn nhalcen y Pen-y-Bont codwyd Debbie oedd yn wardio rhag yr eirlaw. Ar y ffordd i Dan-y-graig roedd hi'n siaradus iawn ond doedd o ddim yn cofio fawr ddim o'r sgwrs. Sawl gwaith pwysleisiodd ei fod yn feddw iawn. Yr unig beth a gofiai'n glir oedd ei fod yn disgwyl cael ei ollwng wrth ei gartref ond fod Debbie wedi mynnu bod Arwyn yn gyrru i'r maes parcio yng nghefn y stad. A dyna lle gadawodd o'r ddau. Roedd o adref toc wedi un ar ddeg o'r gloch. Edrychodd Lucy Green draw at Idwal ac amneidiodd yntau i ddangos mai dyna stori'r fam yn ogystal.

Wrth wrando ar yr holi allai Idwal ddim peidio â sylwi ar yr Arolygydd. Sion oedd yn arwain. Byddai hithau yn syllu'n fanwl ar lygaid Neil wrth iddo ateb. Ar dro byddai'n canolbwyntio ar ei ddwylo ac yna'n gofyn cwestiynau atodol manwl, digon diniwed ar un olwg, am fanylion sgwrs neu ddigwyddiad. Doedd dweud celwydd wrth hon ddim yn syniad da.

Wedi i'r sesiwn ddod i ben, y farn oedd bod datganiad Neil, os oedd o'n wir, yn cadarnhau rhai pethau ond yn ychwanegu fawr ddim at ddatrys y dirgelwch.

"Bydd rhaid cadw fo yn y *cell* yn Caernarfon am y nos. Wedyn gweld beth sy'n dod o'r *interview* gydag Arwyn. Sion i mynd i cael sgwrs arall gyda fo yn y bore i weld os mae noson yn y stesion yn helpu'r... cofio. Ok?"

Suddodd calon Idwal wrth sylweddoli mai fo fyddai'n gorfod trefnu hyn i gyd wrth i Lucy Green baratoi i fynd adref at ei rhieni dros nos, cyn teithio i Wrecsam yn y bore. Gwenodd Sion yn gam arno mewn cydymdeimlad.

"Pam fod Debbie wedi gorfodi Arwyn i fynd i'r maes parcio? Dydi o ddim yn gneud lot o synnwyr," meddai Sion.

"Cwestiwn da, Sion. Cwestiwn da i bore fory yn Wrecsam," a diflannodd Green.

Derbyniodd Neil y newyddion am y gell yng Nghaernarfon fel dyn oedd wedi hen arfer â siom. Ysgydwodd ei ben ac ebychodd chwerthiniad sinigaidd.

"'Cin hel. Ti'n stryffaglio a gweithio dy gyts allan i drio cyrradd rwla a ma 'na ryw fastard yn cicio di 'nôl bob ffycin tro. *Shit* o fyd... i rai."

"Mi fydd DS Sion Gwyn yn dod i dy holi eto bore fory. Gobeithio y cei ddod o 'no wedyn ar fechnïaeth yr heddlu… *police bail.*"

"A sut dw i'n dod i fama i nôl y fan? Cerad? Does gin i ddim sentan."

"Hwda," ac estynnodd Idwal bumpunt o'i boced iddo fo. Edrychodd y plastrwr ar y papur yn hir cyn dweud yn ddistaw,

"Diolch. Dala i ti, pan ga i 'nhalu."

Cyrhaeddodd Idwal ei gartref yn ddyn blinedig. Bu sgwrs anodd rhyngddo a mam Neil pan gafodd ei atgoffa o'i addewid iddi yn gynharach yn y dydd, cyn cael ei gymharu â nifer o rannau o'r corff dynol a benywaidd.

Pwy fedrai weld bai arni?

Ond cafodd groeso gan y ci a sws gan ei wraig a chynnig paned a thamaid i'w fwyta. Wrth adael yr ystafell trodd ato a gwenu.

"Ti 'di sylwi ar rwbeth gwahanol?"

Edrychodd o'i gwmpas i weld a oedd rhyw ddodrefnyn diarth wedi cyrraedd yr ystafell. Dechreuodd y panig gynyddu wrth i'r eiliadau fynd heibio. Diflannodd y wên.

"Dw i wedi torri 'ngwallt, 'do. A'i liwio fo. Nid 'mod i'n disgwyl i 'ngŵr sylwi, siŵr iawn," a chaeodd Llinos y drws yn glep. Y tu allan roedd y gwynt yn codi.

Y chweched dydd

"Hwde. Paned i ti."

Ystwyriodd Llinos ei hun o'i hanner cwsg a chodi yn y gwely.

"Licio dy wallt di. Siwtio."

"Rhy hwyr. Un waith mae berwi cabej, Id." Hyn heb ddim dicter. "Sgen ti ddim gwaith i fynd iddo?" wrth ei weld yn tin-droi. "Be sy?"

"Ddudist ti rwbeth ganol 'rwsnos bod dwy chwaer wedi gadael yr ysgol – neu'n absennol heb esboniad – dwy Saesnes."

"Idwal bach. Rw't ti yn gwrando ar be dw i'n ddeud, 'te, weithie," gan bwysleisio'r 'yn'.

"Debyg iawn."

Daeth golwg chwareus i wyneb Llinos. "Dw i'n gwbod, dw i'n dy nabod di rhy dda. Ma wnelo hyn rwbeth â'r achos yma. Dw i'n iawn neu dw i'n iawn?"

Lledodd Idwal ei ddwylo. "'Wrach, ond ma rhaid 'mod i'n gwrando. Ddudist ti ryw dro mai o ochre Lerpwl roedden nhw'n dod."

"Ddoethon nhw yma ryw dair blynedd yn ôl. Dim gair o Gymraeg wrth gwrs, a mi ges i'r gwaith o iste efo nhw a'u helpu nes iddyn nhw gael mynd i Langybi i'r Ganolfan Iaith. A, chware teg, dwy o bethe bach hoffus oedden nhw, a reit siarp he'd. O fewn chwe mis ro'n nhw'n medru paldaruo rêl bois."

"Welest ti'r fam 'rioed?"

"Do. Un waith. Hogan glên. Dlws, ond bod ôl byw arni a hithe'n dal yn ifanc."

"Tad?"

"Na, 'rioed. Ond roedd y genod yn sôn amdano fo fel 'tai o adre. Ma'n nhw'n byw yn dre rhwle ond rhaid i ti ofyn i Beth am bethe felly."

Beth Watkins oedd pennaeth ysgol gynradd y dre, lle gweithiai Llinos fel cymhorthydd, a chafodd wybod bod y merched heb ddod i'r ysgol fore Mawrth a gan fod taith dosbarth ar y gweill ac angen caniatâd rhiant, cysylltodd â'r fam, ond doedd dim ateb. Bu'r fam yn gefnogol iawn i'r ysgol ac yn ofalus iawn o'r merched, felly roedd yr ymddygiad yn anarferol o ddi-feind. Cafodd wybod mai Doyle oedd y cyfenw ond doedd dim cyswllt wedi bod gyda'r tad.

Galwodd Idwal yn y swyddfa. Anfonwyd criw o blismyn i faes parcio Tan-y-graig i wneud archwiliad manwl o'r safle ac aeth criw arall i chwilio ymylon y ffordd o'r pentref i fyny at Lidiart y Mynydd, ond roedd pawb yn synhwyro mai llenwi amser oedd hyn ac mai'r cyfarfod yn Wrecsam fyddai'n penderfynu trywydd yr ymchwiliad.

Edrychodd Idwal allan ar fan flêr Neil Rees gan ystyried tynged hwnnw erbyn diwedd y dydd. Gwisgodd ei gôt a phenderfynodd gerdded draw i Stryd Madog i gartref y teulu Doyle.

Roedd awel finiog oer yn trywanu pob darn o gnawd oedd yn y golwg a chyflymodd ei gam i lawr y stryd a dim ond ambell garton plastig yn gwmni. Chafodd o ddim ateb yn y tŷ a doedd dim arwydd o fywyd y tu mewn, na'r un car y tu allan. Edrychodd i lawr y stryd hir, wag o dai teras gan drio cofio enwau rhai o'r trigolion. Gyferbyn, a thri drws i lawr, gwelodd lenni yn ysgwyd.

Cyn iddo gyrraedd, agorodd y drws a daeth dyn mawr trwsgl i'r golwg mewn cardigan lliw mwstard gan lenwi'r ffrâm.

"Dyw, Trefor. Sut mae ers talwm?"

"Rhy hwyr. Deryn wedi fflio, Sarjant."

"Ti'n deud?"

"Riporties i o ddwy flynadd yn ôl i ryw gyw plismon oedd yn pasio. *'Have you any proof of illegal activities?'* ges i. Blydi hel. Mynd a dŵad bob awr o'r nos. Be o'dd y diawl gwirion yn feddwl o'dd yn digwydd 'ma? Hel at y genhadaeth? Gesh i lond bol. Esh i draw yno. 'I wraig ddoth i'r drws, a mi roish i'r *law* i lawr. A chwara teg, mi setlodd petha wedyn."

"Ond be oedd o – be mae o, Mr Doyle, yn neud, Trefor?"

"Gwrandwch, Sarjant. Mi fuish i'n gweithio'n galad am ddeugian mlynadd jest i gadw 'mhen uwchben y dŵr a ma gin i hwn i ddangos amdano," gan bwyntio at hen Ford Mondeo o flaen y drws. "Ma nacw, Scottie, neu be bynnag mae o'n galw'i hun, dydi'r diawl ddim yn codi allan i neud swydd yn y byd, ond ma gynno fo Audi Quattro *top of the range*. Sut mae o'n gneud hynny, meddach chi? Ydi Heddlu Gogledd Cymru yn hollol wirion?"

Gwnaeth Idwal ei orau i edrych fel pe bai'n cymryd y cwestiwn o ddifrif, ac yntau'n methu peidio syllu ar fol anferth Trefor Davies oedd ag ôl degawdau o feithrin gofalus arno.

"Pryd ddiflannodd o?"

"Doedd y car ddim yno fora dydd Mawrth. Mi fydd o'n mynd dros nos weithia a chyrradd 'nôl jest fel ma hi'n gwawrio. Ond dw i ddim 'di gweld lliw 'i din o na neb ohonyn nhw o gwmpas ers y diwrnod hwnnw. O'dd hi'n iawn, cofia, a'r genod bach yn daclus bob amsar."

"Teulu o Lerpwl?"

"Hi o Lerpwl. Deff. Fo. Dw i'm mor siŵr."

Gwenodd y Sarjant yn gyfeillgar.

"Diolch, T.D. Help garw."

"Croeso'n tad. A pryd ti am joinio'r clwb?"

Edrychodd Idwal yn ddiddeall arno.

"Y clwb bowls. Fyddi di angan rhwbath i neud 'rôl ti riteirio, yn bydd? Cadw'n ffit a ballu."

"Wel, ie. Bydd. Pam lai?... Gofia i. Well i mi 'i throi hi."

"A 'dan ni'n chwara dan do rŵan... yn y gaea... y Ganolfan, sti. Meddylia am y peth."

Wrth fyfyrio ar y pethau hyn a gwthio'i ddwylo i waelod pocedi ei gôt, bu bron iddo daro i mewn i hen wraig oedd yn sefyll ar y palmant yn ymbalfalu am rywbeth.

"'Dech chi'n iawn?"

"'Di colli 'ngoriada ydw i, 'machgan i. 'Di bod yn nôl negas. Ro'n nhw gen i, fama, yn y pwrs 'ma, os na rois i nhw yn 'y mhocad, neu 'u gadal rhwla..."

Sylwodd Idwal fod dwylo'r hen wraig yn goch gan oerni a'i bod yn crynu.

"Gadwch i mi sbio yn y pwrs 'ma i chi."

"Plismon 'dach chi?"

"Ia, medden nhw. Sarjant Davies. Hon ydi hi?"

"O diolch i chi, 'machgan i."

Agorodd y drws a hel yr hen wraig i mewn o'r oerfel. Cododd ei bag neges a mynd i'w chanlyn. Ar ôl gweld ei bod yn iawn ceisiodd ymadael ond doedd dim yn tycio. Na, roedd o'n haeddu paned ac roedd ganddi deisen gri werth chweil. Ac eistedd fu rhaid tra bu'r hen wraig yn hercian rownd y gegin ac yn siarad pymtheg y dwsin. Teimlai Idwal ryw ias yn mynd trwyddo.

"Well i mi droi'r tân 'ma mlaen?"

"Rhy ddrud. Daw'r sentral hîting mlaen pan fydd yr haul, ble bynnag mae hwnnw, yn machlud. Ond mae'n iawn, mi af allan pnawn 'ma i weld Myfi... ffrind i mi. Dydi hi ddim yn dda. Mewn oed mawr." Yna dechreuodd biffian chwerthin. "Wel, mae hi ddwy flynadd yn hŷn na fi! Byw rownd gongol."

Cafodd wybod am ei mab oedd yn athro i ffwrdd, am ei blant, ei ysgariad a'r ddynes newydd yn ei fywyd nad oedd yn plesio'r hen wraig o gwbl. Cafodd wybod am ei bywyd cymdeithasol, y clwb cinio a'r clwb gweu.

"Brysur efo busnas yr hogan bach 'na o Dan-y-graig, ma siŵr?" gofynnodd. "Ro'n i'n nabod 'i nain hi, wchi. Un ffeind oedd Wini. A dw i'n cofio'r Debbie bach 'na yn dod ati pan oedd hi'n ddim o beth. Fuodd Wini byth 'run fath wedyn. Colli nabod ar y plant wedi i'r fam fynd a'u gadal nhw. Chaen nhw ddim galw wedyn, gin y tad. Ond pan aeth Wini'n sâl, tro dwytha, mi alwodd y Debbie 'na efo hi, chwara teg. Fuodd hynny'n rhyw gysur am wn i."

Diolchodd am y baned ac wrth godi, cynigiodd olchi'r llestri.

"Peidiwch â bod yn wirion, ddyn. Mi fues i'n briod am hannar can mlynedd a ddaru John y gŵr ddim golchi cwpan tra buodd o. A chewch chitha ddim chwaith."

Prysurodd Idwal am gysgod ei swyddfa trwy'r strydoedd drafftiog gan ryfeddu at ddycnwch pobl. Yr hen wraig a'i byd bach diwyd a hyd yn oed Trefor a'i glwb. Trefor Bîp-bîp oedd un o'i lysenwau am ei fod wedi gyrru fforclifft mewn warws yn y dre am ddegawdau. Yn ôl y sôn roedd yn ddiarhebol o ddiog. Cafodd ymddeol yn gynnar ar sail iechyd pan aeth y gwaith ysgafn yn ormod o faich i'w gefn llydan. A dyma fo rŵan yn ysgrifennydd y clwb bowlio o bob peth, ac yn un effeithiol, medden nhw. Rhyfedd o fyd. Wrth gyrraedd y groesffordd cafodd gip ar lethrau serth y Cnicht dan eira yn erbyn yr awyr lwyd.

Dyna be wna i, meddyliodd. Gosod nod i fi fy hun, rhwbeth i anelu ato; cerdded i ben y Cnicht. Dyna wna i.

A theimlodd Idwal elfen o ryddhad o wneud penderfyniad mor uchelgeisiol. Mewn pum munud cyrhaeddodd glydwch a gwres y swyddfa yn rhynnu ac yn anadlu'n drwm. Sylwodd fod fan Neil y plastrwr wedi diflannu, a phan ddechreuodd deimlo'i draed yn dadebru aeth i'r oruwchystafell i adrodd ei stori.

Eisteddai Sion Gwyn yn ei gongl yn syllu ar sgrin tra oedd swyddogion eraill yn mewnbynnu gwybodaeth neu ar eu ffonau. Rhannodd hynny o wybodaeth oedd ganddo cyn gofyn am newyddion o Wrecsam. Tynnodd Sion Gwyn wyneb a gostwng ei lais.

"Dipyn o *car crash* o ddarllan rhwng y llinellau. Mae stori Neil ac un Arwyn yn debyg, mwy neu lai, ond dw i'n meddwl bod *dead eyed Dave* yn gobeithio y basa Arwyn yn cyfadda pob dim efo tipyn o fygwth. Ond ddaru'r doctor o'dd yn bresennol roi stop ar hynny, 'do, a doedd Ledi Green ddim yn fwni hapus. Mae Dave yn y gell gosb, dw i'n meddwl."

"Be am y... wsti... y rhyw? Roedd staen ar y gôt. Gafon nhw gyfle...?"

"Paid â bod yn swil, Idwal. Yr halio? Pan sonion nhw am y peth, mi aeth i grio, iff iw plis, a phledio arnyn nhw i beidio deud wrth 'i fam. Cofia, erbyn meddwl, dyna 'swn inna 'di ddeud."

"Felly?"

"Felly be? 'Dan ni'n dal yn yr un man, am wn i. Dal i chwilio. Mae o 'di cael 'i gyhuddo o ymosod ar ddau blismon, felly, pan fydd o'n well, mi geith le mewn cell. Diawl, dw i'n odli."

Peidiodd y sgwrs wrth iddyn nhw ystyried.

"Rhyngo chdi, fi a'r wal, Idwal, dw i'n ama bod Lucy Green

yn cael traed oer am yr Arwyn 'ma. Ond bod hi am roi cynnig arall arni bora fory. Fydd 'na dwrna efo nhw erbyn hynny wrth reswm, bydd?"

"A dydi Dave ddim yn helpu'i achos yn ymddwyn fel twat."

"Nac 'di. Ond dydi bod yn dwat ddim yn 'i neud o'n rong, nac 'di? Lle wyt ti'n sefyll?"

"Ar 'i dwatrwydd o? Be wn i? Un peth 'den ni'n 'i wbod am Arwyn. Mae o'n gry, dwylo fel rhofie gynno fo. Mi fetse dagu'r hogan bach rhwng 'i fys a'i fawd, a tase fo wedi 'i hitio hi – efo darn o bren neu... be bynnag, mi fydde'i phenglog yn shitrws. Ar y llaw arall, yr esboniad amlwg ydi'r un tebyca fel arfer. A be ddigwyddodd i Neil?"

"Doedd gynnon ni ddim rheswm i'w ddal o unwaith roedd yr holi yn Wrecsam ar ben. Rois i bàs iddo fo yma, chwara teg i mi. Arbad iddo fo dalu am fŷs."

Ystyriodd Idwal holi am y bumpunt ond oedodd.

"Un rhyfadd ydi o. Isio i fi ddeud wrthat ti y daw o i dy weld ti pan enillith o'r loteri."

"Doniol iawn."

Cytunodd y ddau ei bod yn rhy oer i gadw'r plismyn allan yn hwyr. Doedd dim byd perthnasol wedi ei ddarganfod a byddai pawb wedi hen ddiflasu a fferru bellach. Gan fod Sion am fynd i weld ei deulu tan y Sul cynigiodd Idwal fynd i Dan-y-graig i rannu'r newyddion da a hel pawb adref. Ar ôl cyrraedd yno cafodd groeso mawr gan ei gydswyddogion cyn iddyn nhw ddiflannu. Ond roedd ganddo reswm arall dros fynd i'r pentref. Gadawodd ei gar yn y maes parcio a sicrhau nad oedd o fewn golwg i dai y stad. Cerddodd heibio i deras o dai carreg o ddechrau'r ganrif o'r blaen pan fu chwarelwyr a dynion busnes lleol yn codi eu tai eu hunain. Trodd i mewn i'r stad ac anelu at y pen pellaf. Fel pob pentref bach bellach, doedd dim arwydd o fywyd yn unlle ganol prynhawn fel hyn a dim ond ambell gorn yn mygu. Cerddodd i fyny llwybr rhif dau ac at y drws cefn. Roedd cwt-pob-dim yng nghefnau pob un o'r tai a grisiau a llwybr yn arwain at dop yr ardd lle safai cwt pren a giât fach a agorai, mae'n siŵr, i'r llwybr y soniodd Neil amdano.

Curodd a disgwyl. Daeth golau ymlaen uwch ei ben. Bryn atebodd. Ymddangosai yn llai dyn i Idwal ac roedd ei lygaid tywyll yn sefyll allan yn erbyn yr wyneb gwelw. Wrth gamu i'r gegin gefn sylwodd ar fwydiach wedi pentyrru ar y bwrdd, tair torth frith, te, coffi, sbynjis, teisennau cri a thuniau o bob math.

"Pobol 'di bod yn garedig iawn, chwara teg," mwmiodd Bryn.

Roedd y tŷ fel pìn mewn papur. Dylanwad disgyblaeth y fyddin, meddyliodd.

"Mark. Sut mae dy dad? Dim ond galw gan 'mod i yn y pentre – rhag ofn... y medra i neud rhwbath."

Eisteddodd Bryn ar gadair fel un a oedd wedi ei drechu.

"Dim ond isio Debbie yn ôl ydan ni. I weld os medran ni ailafal yn... mewn..." Diflannodd y geiriau a llanwodd ei lygaid. Rhoddodd Mark ei law ar ei ysgwydd gan ofyn yn ddistaw,

"Unrhyw syniad? Dyddia? Wsnosa?"

Ysgydwodd Idwal ei ben. "Ond dw i'n gaddo, mi ga i ateb i chi, ddechre'r wsnos, gobeithio. Dw i yn dyall."

"A ma Mark angan mynd yn ôl at 'i waith, a fedar o ddim mynd heb i ni gael..."

"Debyg iawn. Debyg iawn."

"Maen nhw'n *short staffed*. Dw i'n gweld y bòs pnawn dydd Iau ar y seit," meddai Mark.

"Yn capel bydd y gwasaneth?"

"Yn y Crem. Haws i bawb." Mark atebodd ar ran y ddau. Allai ei dad ddweud dim ond amneidiodd ei gytundeb heb godi ei lygaid. Roedd o wedi crebachu rhywsut.

Ymesgusododd Idwal am darfu. Hebryngodd y mab ef at y drws.

"Ffendioch chi'r ffôn?"

Wyddai Idwal ddim sut i ymateb.

"Roedd ar goll, y ffôn, 'lly," ychwanegodd Mark. "Y ditectif 'na sy'n siarad yn chwithig ddeudodd. Debbie byth yn mynd heb 'i ffôn."

Ysgydwodd Idwal ei ben a throdd ei gefn ar y tŷ galar. Wrth gwrs, roedd gan bwy bynnag gymerodd y ffôn reswm da dros wneud er mwyn celu rhyw wybodaeth. Deuai hyrddiau o wynt i lawr o'r mynydd gan ubain yn y gwifrau a daeth wyneb blinedig, diobaith y tad i'w feddwl. Yna, llithrodd wyneb Dilys Jones yn ei le, ei llygaid yn ail-fyw atgofion llawn ofn; y ddau deulu mewn dawns ddieflig araf nad oedd dianc rhagddi bellach. Er ei fod wedi gweld ymddygiad dychrynllyd yn ei ddydd, chredodd o erioed fod pobl yn eu hanfod yn ddrwg. Hunanol, oeddent. Treisgar hefyd, yn sicr, ar adegau. Ond roedd rhyw ddaioni yn perthyn i bawb, does bosib? Wrth gamu i'w gar yn y maes parcio gwag a'r dydd yn cau, doedd Idwal Davies ddim mor siŵr bellach.

Y seithfed dydd

Deffrodd Idwal o'i drwmgwsg. Cyn iddo gael amser i feddwl clywodd oriad yn troi yn nrws y tŷ a llais ei wraig yn annog y ci i mewn.

"Tyd, Cai bach. Werth mynd, toedd, 'na chdi."

Cyn pen dim ymddangosodd Llinos yn y llofft gyda phaned yn ei llaw.

"Coda'r diogyn. Mae'n fore bendigedig. 'Dan ni'n mynd am dro y bore 'ma. Ti a fi. Gweld os cown ni air o dy ben di rwsut. Tyd. Gna siâp arni. Sane cynnes a trowsus cered os gelli ffindio pâr sy'n ffitio."

"Ond..."

"'Sna'm 'ond' amdani."

Wrth iddynt yrru ar y ffordd heibio Pren-teg am Bont Aberglaslyn roedd y tarth yn codi ac yn chwalu o'r afon a barrug y tir isel yn pefrio yn haul cynnar y dydd. Ac uwchlaw gweddillion y tarth safai cribau ac esgeiriau'r mynyddoedd yn iasol wyn yn erbyn yr awyr las ysgafn.

"Tyden ni'n lwcus, Id. Byw mewn gwlad mor dlws."

Cytunodd Idwal gan ychwanegu'n ddifeddwl, "Y ffor' 'ma siŵr o fod yn llithrig..."

Rowliodd Llinos ei llygaid. "Gobeithio y bydd gen ti sgwrs fwy hwyliog heno 'ma, 'te?"

"Heno?"

"Cinio'r clwb. Ti'n gwbod yn iawn... ddudes i neithiwr."

Daeth ebychiad o ddiflastod. "Does gin i fawr o awydd, deud gwir, Llin. Mae meddwl am drio dal pen rheswm..."

"Wel, 'na fo, 'te. Mi a' i fy hun. Gei di fynd â fi a dod i fy nôl ddiwedd y nos, os mai fel'na mae 'i dallt hi."

Dechreuodd Idwal gecian. Fentrai o ddim gadael iddi fynd ar ei phen ei hun, ac mi wyddai Llinos hynny'n iawn. Ceisiodd hel esgusodion ond torrodd ei wraig ar ei draws.

"Holl bwrpas y bore 'ma ydi dy gael di allan o dy gragen... ac i feddwl am... am rwbeth heblaw gwaith a'r... helynt 'ma. A tra dw i wrthi, cofia gadw awr neu ddwy dydd Iau i ni fynd i'r eglwys... efo'n gilydd."

Amneidiodd yntau ei gytundeb. Y tu hwnt i Bont Aberglaslyn rhedai'r afon yn ei chafn caregog cyn bod y cwm yn ymagor yn ddolydd gwastad i gyfeiriad y pentref oedd yn bur brysur, er yr awr gynnar; rhai'n crwydro dow-dow ac yn siŵr o brynu paned i gyfiawnhau eu taith cyn gadael; eraill mewn esgidiau pwrpasol, capiau cynnes a ffyn cerdded yn eu dwylo yn symud yn benderfynol. Roedd hi'n oer yn y cysgod wrth i'r ddau gamu dros lein y trên bach oedd newydd ailagor, gan anelu am y llwybr a arweiniai dan gysgod Moel Hebog i gyfeiriad Rhyd-ddu. Di-sgwrs oedd hi ac wrth ddynesu at fwthyn carreg a phlac ar ei dalcen, edrychodd Llinos ar ei gŵr ond roedd ei feddwl yn bell. Dechreuodd barablu,

"Telynores Eryri oedd yn byw fama. Dipyn o ges, ffrindie hefo Telynores Maldwyn. Cofio hi a'i pharti'n dod i neuadd y pentre acw a ninne'r plant yn heidio i'r ffrynt, chwys yn llifo lawr y ffenestri a hithe wedi gwisgo fel dyn; locsyn smal a chetyn yn ei cheg yn downsio..."

Stopiodd Idwal yn stond a rhythu arni.

"Be s'an ti? 'Yn stori i ydi honna. Fi sy'n deud honna..."

"Cweit reit, Id. Dy stori di ydi hi ac mi rwyt ti wedi 'i deud hi bob un tro 'den ni wedi pasio'r lle 'ma. Yr un un stori, gair am air. A dw i wrth 'y modd yn gwrando arni. Bob tro. Er 'mod i 'di'i chlywed hi lawer gwaith. Cetyn, locsyn, bresys, sgidie hoelion mawr a Mal Steshion Road, oedd byth yn chwerthin, yn rhowlio nes bod dagrau yn powlio lawr 'i focha fo. Ond dim heddiw. Heddiw, dim byd. A dydi o ddim yn deg. 'Di o'm yn deg, Id."

Camodd yn ei blaen gan adael Idwal i bendroni wrth ymlafnio i ddal i fyny gorau gallai yng nghysgod y wal garreg uchel rhyngddynt a godre'r mynydd. Wrth i'r llwybr groesi'r nant i mewn i goedwig o goed bedw a chyll safodd Llinos yn ei hunfan a chodi ei bys at ei cheg. Pwyntiodd i lawr at y dŵr a gwneud ystumiau i gadw'n ddistaw. Craffodd Idwal i weld heb syniad pam.

"O! Mae o 'di mynd. Welest ti o, Id? Glas y dorlan. Mor dlws. Welest ti o?"

"Do. Jest cip sydyn."

"On' toedd o'n fendigedig? Heb weld un ers... ers dwn i ddim pa bryd. Ers i Mam fynd â fi'n lodes fach am dro yn Nant Ceunant yn Nolgelle stalwm. Cofio meddwl mai dene'r peth tlysa i mi weld yn 'y mywyd. Dw i mor falch bod ni 'di dod."

Cytunodd Idwal yn frwd. Welodd o mo'r aderyn ond doedd y celwydd bach nac yma nac acw ar y pryd, meddyliodd. Ysgafnhaodd yr awyrgylch wedi'r cipolwg annisgwyl a chafwyd paned o goffi digon pleserus yn y dafarn cyn troi'n ôl tuag adref.

"Reit, mae gin i waith paratoi at heno a dw i ddim isio ti dan draed, Id."

Dechreuodd brotestio.

"Na, yn yr oed yma mae gofyn bach mwy o ymdrech. Felly, allan â ti. Mae 'na gêm ar y Traeth. Ti'm 'di bod yno ers talwm. Wneith les i ti."

"Dw i'm isio..."

"'Neith les i ti. Siarad efo pobol erill. Pobol, heblaw plismyn."

A dyna sut y cafodd Idwal ei hun yn cerdded at fynedfa cae'r Traeth ar brynhawn heulog ac awel finiog yn chwythu o'r mynyddoedd. Sylwodd mai Cegidfa oedd y gwrthwynebwyr. Enw tlws ar dîm; ble bynnag oedd Cegidfa.

"Dyw, sbia pwy sy 'ma. Meddwl bo' chdi 'di cicio'r bwcad, Id – sori, Sarjant."

"Arclwy', *long time no see.* Wyt ti ar dy bensiwn bellach?"

"Dim gostyngiad. Dim sgôr a ti 'di colli dim chwaith."

Gwenodd yn gam ar Stan a'r criw wrth y giât wrth brynu ei docyn a'r raffl anochel. Yr un wynebau oedd yno â'r blynyddoedd cynt ac roedden nhw'n dal i herian ei gilydd a phawb arall.

"Cofiwch fod croeso i chi ymuno efo'r pwyllgor, Mr Davies." Llais Stan oedd hwnna, y mwyaf triw ohonyn nhw i'r achos. Cerddodd o gylch y cae a chlywed acenion Sir Drefaldwyn ymhlith acenion Saesneg criw bach cefnogwyr tîm y gwrthwynebwyr. Stopiodd i siarad â dau o ddynion yn eu hoed a'u hamser i holi ble roedd y pentref â'r enw rhyfedd ac i glywed eu hacen a sigl eu hiaith; un â chap stabal o'r iawn ryw a'r llall â chap gwlân yn lliwiau'r clwb; a'u hwynebau'n sgleiniog goch.

"Come on, Guilsfield, for fuck's sake! Put it in the bloody mixer," taranodd rhywun o'r *dugout* cyn cicio potel o ddŵr yn ei wylltineb, er pleser mawr i'r cefnogwyr lleol, gan symbylu rhai i lafarganu '*Put it in the mixer*' ar alaw boblogaidd.

Rhyw hanner cadw llygad ar y chwarae oedd Idwal wrth ymlwybro'n araf o gylch y cae, pan welodd gorff byr yn cerdded tuag ato yn herciog; trowsus fel consartina wedi ei angori yn isel dan fol sylweddol; hwnnw wedi ei fframio gan dop tracwisg agored oedd chwe modfedd yn rhy hir tra oedd y breichiau a'r coesau yn chwyrlïo'n ffyrnig er mwyn dal i fyny hefo'r bol; perchennog Quick Clean, Jeff Judge.

"'Ycin el, Id bach. 'Naethon nhw d'adael di i mewn? Dydi'r rhein yn gwilydd gwlad? Llwyth o bansis. A hwn. Sbia ar hwn mewn difri," gan gyfeirio at chwaraewr main oedd yn sefyll ar yr asgell. "Mewn difri, blydi menig, 'cofn iddo fo ddal annwyd, debyg. Be nesa, y? Potel ddŵr poeth? Ti'n gwbod faint ma'n nhw'n dalu iddo fo?" Nid cwestiwn oedd hwn ond rhan o'r bregeth. "Hanner canpunt! Meddylia. Hanner blydi canpunt plys ecsbensys iff iw plis. Ac i be? Mae o'n downsio lawr y wing 'ma, curo'i ddyn, a wedyn mae'n dod 'nôl a'i guro fo eto. Ond i be? 'Sa wa'th i ti roi Rwdolff Nieryff, neu be bynnag 'di'i enw fo, i bransio hyd y lle 'ma. A dw i 'di deud, chân nhw'm sentan gen i flwyddyn nesa os na fyddan nhw'n siapio. Na chân, ar fy llw."

"Ti'n deud?"

"Ydw, dw i'n deud. Lluchio 'mhres i dalu am *ballet dancer* o blwmin Bolton. *No way.*"

"Un o Bolton ydi o?"

"Naci, siŵr Dduw. Ffor' o siarad. Toedd gynnon ni sgwad lleol yma rai blynyddoedd yn ôl. Hogia ni, 'de. Ddigon da byth. Ond 'na fo..."

Chwythodd y dyfarnwr ei chwiban i ddynodi ei bod yn hanner amser.

"Diolch byth am hynna. Tyd, awn ni am baned i gwt y pwyllgor."

"Wyt ti ar y pwyllgor?"

"Nac dw, siŵr Dduw, ond dw i'n noddwr, tydw. Pres sy'n cyfri. Tyd."

Roedd gwaith cerdded at y cwt te, ac wedi mân siarad distawodd y sgwrs a dim ond sŵn y Judge yn anadlu'n drwm cyn iddo ddweud yn sydyn, "Heb restio neb? Be am yr hogyn yna... Arfon...?"

"Arwyn."

"Tyd ag enw i mi, Id, ga i rywun i dorri 'i geillie fo. Bastad."

"Gofia i, Jeff."

"Na 'nei'r diawl. Prydd yn deud 'sech chi'n methu trefnu cachiad i res o dine. Dyna oedd 'i union eirie."

"'Swn i'm yn coelio popeth ma Prytherch yn ddeud, Jeff..." dywedodd Idwal yn ofalus.

"Na... Sbio lawr 'i drwyn arna i bob gafel. 'Rhen dwat bach iddo fo."

"Anodd iddo fo beidio a fynte droedfedd yn dalach."

"Ha blydi ha. Ti'm 'di deud wrth neb am be ddudis i, naddo? Am Prydd a Debbie. Hen hanes."

"Nac dw," atebodd Idwal.

"Ro'dd o efo'i fam nos Sadwrn p'run bynnag."

"Sut ti'n gwbod?"

"Fo ddudodd wrtha i. Coffi, paned?" Roeddent wrth ddrws cwt y bobl oedd yn cyfrif er nad oedd steil o fath yn y byd yn perthyn iddo. "S'mae, Llew. Sarjant efo fi, yli."

Pam fod Prytherch wedi cynnig alibei iddo fo'i hun gan Jeff Judge o bawb, meddyliodd Idwal.

"Dyw, sbia pwy sy'n syrfio. Meri... Meri Ever Ready... cofio'i stalwm. Hon 'di gweld digon o gocie i ffensio Portmeirion."

Roedd Idwal yn ei chofio wrth gwrs. Un o'i *regulars* ar benwythnosau, fel arfer mewn diod ac mewn helynt efo dynion. Roedd y gwallt golau o botel yn dal yno ond ei hwyneb yn bradychu blynyddoedd o fyw caled. Roedd Jeff bellach wrth y bwrdd.

"Dwy baned plis, Meri. Llefrith. Dal i hel dynion?" gofynnodd gan wenu.

"Dal i llnau cachu Saeson, Jeffrey?" atebodd hithau, heb gynhyrfu dim.

Gwenodd Idwal am y tro cyntaf ers dyddiau wrth i'w gyfaill ymbalfalu am ateb a throi ato.

"Gotshan. 'Neith hi beint wedyn? Stesion?"

"Na, well i mi 'i throi hi. Cinio'r golff heno."

"Dyw, mae 'na orie tan hynny, siŵr. Wela i di yno."

"Ie, gwnei."

*

The Bad Boys oedd enw'r grŵp a wahoddwyd i ddiddanu'r aelodau yn y clwb golff y noson honno er nad oedd eu dillad taclus a'u gwalltiau glân yn debyg o beri anesmwythyd i neb, na'u caneuon diddrwg didda a ddewiswyd o blith *hits* melfedaidd y gorffennol. Roedd Llinos wedi setlo yng nghanol criw o ferched canol oed, yn cynnwys Gwerfyl, a'r adrodd straeon a hel clecs eisoes yn arwain at byliau o wichian chwerthin. Safai Idwal ar gongl y bar cyn belled ag y gallai oddi wrth Lywydd y clwb, Jac Ellis, rheolwr cymdeithas adeiladu oedd â'i fryd ar gael Idwal yn aelod o is-bwyllgor y *greens* ac felly yn ddyn i'w osgoi ar bob cyfrif. Mi wyddai Idwal pam hefyd. Un diwrnod cafodd ffliwcen a llwyddo i gael y bêl wen i'r twll o bellter o bymtheg llath. Digwyddai Jac fod yn disgwyl ei dro gerllaw a bu'n dyst i'r wyrth fechan honno, a byth ers hynny roedd yn argyhoeddedig bod Idwal yn deall dirgelion y lawntiau llyfn. Roedd o wedi rhoi ei gas ar y band yn barod, gan wybod y deuai amser yn nes ymlaen pan lusgai'r gwragedd a'r cariadon eu partneriaid i'r llawr dawnsio. Roedd Idwal ei hun dros y blynyddoedd wedi gorfod perffeithio'r ddawn o symud ei bwysau o un goes i'r llall gan ysgwyd ei freichiau i rythm amgen, dirgel, wrth osgoi dal llygad neb. Hunllef. Trwy gornel ei lygad tybiodd iddo weld Jac Ellis yn anelu tuag ato a phenderfynodd fod yn rhaid dianc.

Llwyddodd i wau llwybr rhwng y byrddau gan wenu ar hwn a'r llall wrth anelu at y peiriannau gamblo oedd wedi eu gosod yn gylch o gwmpas colofn yng nghanol yr ystafell. Camodd i'r chwith i sleifio o'r golwg pan ddaeth wyneb yn wyneb â chorff sylweddol Edgar Prytherch.

"Dyw, Sarjant Davies, ylwch."

"S'mae, Prydd."

Roedd trwyn Rhufeinig y twrne yn hofran yn beryglus o agos uwch ei dalcen a'r ddau lygad eryr yn syllu'n sefydlog ar ei brae.

"Wel, wel. 'Dach chi 'di gneud tipyn o smonach ohoni, 'do?"

Gwnaeth Idwal ei orau i ymddangos yn gwbl ddiniwed. "Pwy? Be? Fedra i ddim trafod yr achos, a ti'n gwbod..."

"Paid â malu cachu, Davies. Maen nhw ar goll yn y niwl. A'r hogan bach 'na... del hefyd, allan o'i dyfndar. A mi ddeuda i beth arall wrthat ti, erbyn i mi gael *shrink* i ddeud 'i fod o'n hannar-pan, synnwn i datan na ddaw o'r doc a'i draed yn rhydd er gwaetha'r mater bach arall 'na."

"'Di o'm yn fater bach, nac 'di? Ymosod ar blismon... plismyn." Difarodd agor ei geg yn syth.

"Chitha wedi 'i hela fo fel anifail, seirens yn gwichian, fynta'n ddiniwed, ofn 'i gysgod. Rheithgora ddim yn licio petha felly. Na, tipyn o lanast, mae arna i ofn, 'te. A tra dw i wrthi, pwy bynnag fuo'n chwilio am sgerbyda yn 'y nghwpwrdd i, *watch out*. Isio deryn glân i ganu, toes, Idwal? A! Mae'r *buffet* 'di agor, yli. Digywilydd, digolled, fel maen nhw'n deud. *No hard feelings*." Ac i ffwrdd â fo am y bwyd nad oedd arno ei angen.

Gadawyd Idwal ar ganol y llawr yn teimlo fel ffŵl. Trodd

a gweld bod ei wraig yn symud am y byrddau yng nghwmni ffrind iddi. Cododd ei llaw i'w gymell i ymuno â hi. Gwenodd a gwneud ystum amhendant ac anelu am y bar. Whisgi oedd yr ateb, beth bynnag oedd y cwestiwn. Newydd archebu oedd o pan ddaeth llais cryg, cyfarwydd o'r tu cefn iddo.

"'Clwy', sbïwch pwy sy 'ma. Gyma inne un bach. Diolch am ofyn."

Ei gyfaill Jeff. Trodd ato.

"Be ti'n feddwl o hyn, 'ta?" Roedd Judge wedi bod gartref rhwng sesiwn yn y Station a chyrraedd y clwb a bellach mewn siwt ddu nad oedd gobaith i'r siaced byth eto gau am gorff ei pherchennog. Crys gwyn drud yr olwg ond fod y cylchoedd o chwys a dreiddiai drwy'r defnydd yn difetha'r pictiwr.

"'Ycin 'el. Welist ti'r pansi 'na pnawn 'ma ar y cae? Ddudis i wrth Humphreys, sti, y Trysorydd dwy a dime 'na sy gynnyn nhw. Gwranda, Mog bach, me' fi, weli di ddim ffycin dime goch o 'mhres i... hei, do's 'na'm dime rŵan, o's 'na?... ta waeth..."

Roedd hi'n amlwg bod nodwydd record Jeff Judge wedi sticio bellach fel y bydd nodwydd pobl feddw ac nad oedd dyfodol o gwbl i'r sgwrs bresennol, na'r un arall weddill y noson. Cyrhaeddodd y whisgi a baglodd ei gyfaill heibio iddo at y bar.

"Owen! Owen! Mymryn o ddŵr, wa', lle bo' fi'n meddwi rhy handi... ha, ha."

"Wil."

"Be?"

"Wil dw i. William. 'Y mrawd ydi Owen."

"'Clwy', ie? Ti'n siŵr, Wil?" A chwarddodd ar ei arabedd ei hun. "Ces 'di hwn, Wil... Id. Be o'n i'n ddeud?"

Chwiliodd Idwal am ddihangfa a chofio am y bwyd. "Well

i mi fynd at Llinos. Mae hi 'di mynd am y bwyd, yli. Wela i di wedyn."

"Hei, hei, lle ti'n mynd, cachwr? Y? Rŵan o'n i'n dechre dy licio di."

Cerddodd Idwal i ffwrdd yn sŵn chwerthin ei gyfaill pan sylwodd ar y ciw hir yn nadreddu allan o ystafell y bwffe, a throdd yn sydyn am y tŷ bach ac am hafan ddiogel.

Roedd dau wrthi'n sefyll wrth y cafn ond roedd drws un o'r ciwbicls ar agor, a llwyddodd i sleifio i mewn a chloi'r drws yn ofalus heb i neb sylwi. Rhoddodd gaead y sedd i lawr yn araf iawn, eistedd arni fel pe bai wedi ei chreu o wydr a chau ei lygaid fel meudwy mewn cell. Rhoddodd ochenaid ddistaw wrth glywed y sgwrs.

"Hel dynion, dyna ma'n nhw'n ddeud, ond 'swn i'm yn gwbod dim byd am..."

"A toedd hi'm yn haeddu hynny, be bynnag."

"Bechod gin i am Bryn, er mor wirion 'di hwnnw..."

"Mmm." Roedd un wedi symud i olchi ei ddwylo yn ôl y sŵn.

"Cofio fo'n rhedeg siop Pine Are Us yn dre? Busnas bach del gynno fo, ond mi oedd o'n diflannu'n pnawnia. Sti, merchaid, diod. Hwch drw'r siop yn diwadd, 'ndo. Dyledion hyd 'i fraich. Dyna'i hanas o, bob man. Ond hoffus iawn, cofia."

Yn sydyn, clywodd ddrws y tŷ bach yn clecian.

"Fama 'dech chi'r diawled!"

O na! Jeff, meddyliodd Idwal.

"Blydi hel, Judge. Pryd wisgest ti'r siwt 'na ddwytha?"

"Pan o'n i ar gefn dy wraig di, Wayne bach."

"Gwranda'r bastad..."

Dechreuodd sŵn ymrafael, tuchan, gwthio, bygythion a rhegi tra oedd Llew yn gwneud ei orau i gau ei falog a threfnu cadoediad. Suddodd calon Idwal a chladdodd ei ben yn ei ddwylo wrth i'r pantomeim gwallgof fynd rhagddo o'i gwmpas. Erbyn i'w gyfaill gael Wayne allan roedd Jeff yn anadlu'n drwm ac yn cwyno wrtho'i hun. Yna clywodd Idwal ef yn shyfflo heibio. Rhoddodd Jeff sgwd i'r drws.

"Hei, tyd allan. Ti'n drewi'r lle. Mae fel y Black Hole of Calcutta 'ma, lle bynnag ma fanno. Calcutta, siŵr Dduw."

Daliodd Idwal ei anadl a gyda chryn ryddhad clywodd ei gyfaill yn cloi drws y cwibicl drws nesaf. Anobeithiodd wrth feddwl am yr uffern a'i disgwyliai. Rhagor o ebychu, sip yn agor, belt yn clindarddach ar lawr, mwy fyth o ebychu ac yna distawrwydd. Penderfynodd mai dyma'r cyfle i ddianc o'i guddfan pan glywodd chwyrnu ysgafn yn dod dros y pared. Diolch byth! Camodd am y drws allan ar flaenau ei draed a'i agor a dod i wyneb sarrug Jac Ellis. Y tu ôl iddo safai dau o aelodau ifanc y clwb, dau go solet yr olwg, ynghyd â Wayne. Rhythodd pawb ar ei gilydd.

"Lle mae o? *He's gone too far this time.*"

Hysiodd Idwal bawb yn eu holau gan esbonio bod y sefyllfa wedi ei datrys, dros dro o leiaf, ac y byddai'n hebrwng ei gyfaill o'r adeilad pe byddai'n digwydd dadebru cyn stop tap. Fel dyn yr oedd cyfansoddiad y clwb ar flaenau ei fysedd ac yn agos i'w galon pwysleisiodd J.E. ddifrifoldeb y drosedd, a bod gwraig Wayne wedi ybsetio'n arw oherwydd ensyniadau Jeff Judge. Roedd y ddau ŵr ifanc ar y llaw arall yn ymddangos yn falch iawn nad oedd rhaid wynebu perchennog Quick Clean heb ei drowsus, a chytunwyd bod hwn yn gyfaddawd teg a rhesymol ac y gallai pawb ddychwelyd i fwynhau eu hunain. Diolchodd Idwal i'r duwiau na soniwyd dim am is-bwyllgor y *greens* o leiaf. Anelodd am y bwffe. Roedd y ciw wedi diflannu ynghyd â'r rhan fwyaf o'r bwyd. Llwyddodd i gasglu dau damaid o bitsa oer, llwyaid o golslo, hanner porc pei, dau nionyn picl melys a dyrnaid o letys ar blât cardbord simsan. Aeth ati i'w llowcio'n flêr pan glywodd sain y piano o'r lolfa.

Cerddodd draw pan drawyd geiriau agoriadol 'Moliannwn' a llais tenor Glyn Garej yn arwain a'r cyfeilydd yn cadw tempo byrlymus. Prytherch. Roedd saith neu wyth o ddynion o gylch yr offeryn, y rhan fwyaf yn perthyn i gorau meibion yn y cylch. Fel y tawodd nodyn hir y 'La, la' olaf palodd y pianydd ar ei ben i mewn i 'I bob un sy'n ffyddlon' a chodwyd stêm wrth sicrhau buddugoliaeth ar luoedd Satan yn yr ail bennill. Sioe y pianydd medrus oedd hon a gydag amnaid ar Glyn tawelodd trybestod y frwydr gyda stori ddigalon y 'Llanc Ifanc o Lŷn', cyn codi'r tempo gyda 'Sloop John B' a'r harmonïau yn fwy cymhleth na rhai gwreiddiol y Beach Boys. Daeth rhagor o'r aelodau i mewn. Yn eu plith roedd Bob Hughes. Gwenodd a rhoi winc i Idwal, gan amneidio at y pianydd oedd yn anwesu'r nodau cyn bwrw i mewn i'r gân nesaf.

"Tyd, Idwal. 'Dan ni'm yn mynd o 'ma heb dy *party piece* di." Ymledodd gwên fel giât dros wyneb Prytherch, a gydag anogaeth ac addewid i 'helpu gyda'r geiriau' trawyd 'Bugail Aberdyfi' a ddysgasai ddegawdau ynghynt gyda'r côr. Dyma'i unig gân ac er gwaethaf ambell i gam gwag, erbyn iddo gyrraedd 'Tyrd dithau'n ôl, fy ngeneth fwyn...' roedd wedi ymlacio a'r harmonïau yn felys o'i gwmpas. Cafodd gymeradwyaeth orfrwdfrydig a daliodd lygad Llinos oedd yn sefyll wrth y drws yn chwerthin yn gariadus. Rhoddwyd clo teilwng i'r sioe pan gytunodd pawb, yn ferched a dynion, mai 'calon lân rinweddol' oedd yr unig beth o bwys yn hyn o fyd a hynny mewn pedwar llais.

"Mae gen ti lais da, Id," sibrydodd Llinos yng nghefn y tacsi ar eu ffordd adref. "A mae heddiw 'di bod yn ddwrnod da. Diolch, Id." A chydiodd yn dynn yn ei fraich.

Yr wythfed dydd

Roedd yr awel yn fain wrth i Idwal gerdded y llwybr uwchben Bae Tremadog am y cwrs golff brynhawn Sul ar ôl treulio bore yn stwna o gylch y tŷ. Roedd y môr yn frith o gesig byrhoedlog, gwynion dan yr awyr lwydaidd. Gwrthododd gynnig Llinos i'w hebrwng yn y car bach. Y gwir oedd ei fod yn anniddig ynddo fo'i hun heb wybod pam; rhyw gymysgedd o flinder, dicter ac ofn yn treiddio trwy ei gorff. Roedd eisoes wedi penderfynu y byddai'n galw yng ngorsaf yr heddlu i glywed y sïon diweddaraf a gweld faint o wir oedd yng ngeiriau Prytherch. Prytherch, ei ddau lygad oeraidd a'r wyneb coch yn hofran fel hunllef uwch ei ben. Ac yna Prytherch â'i ddwylo'n anwesu'r nodau ac yn cyflwyno ambell linell hyfryd o harmoni gyda'i lais tenor diymdrech a gwên yn chwarae ar ei wefusau. Baglodd a'i ddal ei hun rhag syrthio. Oddi tano roedd y mân donnau'n torri'n ddi-drefn ar y creigiau ac yn erbyn ei gilydd.

Wrth nesu at y clwb sylwai fod rhai ceir yn dal yno ers y noson gynt. Yn eu plith safai cerbyd Bob Hughes. Wrth gerdded heibio cefn y car du clywodd lais y cynghorydd.

"Paid â deud dim, 'te!"

Trodd at y ffenest agored a'i gyfarch.

"Bob."

"Noson dda, Id, toedd, yn diwadd. Llais fel angal gen ti. Mi fyddi'n beryg bywyd ar yr emyn dros drigain oed, dim ond i ti ddysgu emyn, 'te?"

"Doniol iawn. Sgin ti ddim byd gwell i neud na loetran mewn maes parcio ar bnawn Sul?"

"Oes. Tyd i mewn am eiliad. Esgus i mi ohirio galw yn y cartra efo Gwerfyl a'i mam. Ga i fawr o groeso fanno, hynny'n saff i ti."

Camodd Idwal i'r sedd foethus ac ogleuon polish yn codi o'r lledr golau.

"Na, be bynnag ddudi di amdano fo," gan bwysleisio'r 'fo', "y Prydd, mae o'n gaffaeliad mewn noson fel'na. Y feri peth. A ddaru Judge neud 'i gyfraniad, yn do, tasa hi ddim ond i weld Jac El yn gwylltio. Tydi o'n bwysig."

Penderfynodd Idwal beidio sôn am ei brofiadau anffodus o.

"Felly, 'dach chi ddim am 'i gyhuddo fo? Arwyn, 'lly."

"Pwy sy'n deud?"

"Prydd, 'te. Mi gornelodd fi. 'Do's gynnyn nhw ffyc ôl arno fo' oedd ei union eiria. A deud 'i bod hi wedi cael rhyw a bod olion DNA gynnoch chi."

Sut y gwyddai Prytherch? Tynnodd Idwal ryw wyneb 'be fedra i ddeud' a newid y stori.

"Heddwch yn teyrnasu yn Nhai Cynfal bellach?"

"Fuodd hi 'rioed yn nefoedd acw, wsti. 'Rioed. Cymra ni, teulu ni. Pedwar o blant a Dad yn gweithio ble bynnag y câi o waith yn dreifio, labro, unrhyw beth. Ffwr' am wsnose, Coventry, Lerpwl, a Mam yn magu gorau gallai, hel ni i'r capal, a hitha i'n canlyn. Dynes hwyliog. Ond wedyn, pan ddoth yr ola, Marilyn, mi newidiodd. Stopio mynd allan, crio drw'r dydd. *Postnatal depression*, ma'n debyg, ond adeg hynny, doedd dim enw iddo fo na dim help a Dad yn dallt dim nac isio dallt, ma siŵr. Yn diwadd mi fu rhaid i ni fynd at wahanol berthnasa a mi aeth fy addysg i ar chwâl. Adewis yr ysgol heb ddim byd."

"Be ddoth â ti at dy goed?"

"Lwc mul. At chwaer Mam yr es i, Anti Elsi. Rhyw ddynes oedd wedi codi fymryn yn y byd ac yn gwbod hynny. Gweithio i gwmni Owen and Owen Auctioneers oedd hi, a'r hen ddyn oedd bia'r drol, Dwalad Owen, wedi dechra colli 'i olwg ac yn beryg bywyd ar y lôn. Ro'dd Nhad wedi 'nysgu i i yrru, yli, dysgu yn iawn, a pherswadiodd Anti Elsi yr hen Ddwalad i 'nghyflogi i fel sioffer am y nesa peth i ddim. I dorri stori hir yn fyr, gymrodd yr hen foi ata i a mi ddalltodd 'mod i'n medru cyfri. Erbyn i'r hen foi roi gora iddi ro'dd gen i gwalifficeshions, dallta di, ac yn well na hynny ro'n i'n nabod pobol ariannog yr ardaloedd 'ma i gyd, ac yn gwbod 'u hanes nhw," a chwarddodd yn braf fel dyn na allai gredu ei stori ei hun.

"Well i mi fynd. Pen-blwydd y ddraig. Gin i floda fel offrwm. Hwyl i ti."

*

Neidiodd i'w gar ac mewn deng munud cyrhaeddodd yr orsaf. Synhwyrodd fod rhywbeth o'i le pan amneidiodd Liz arno a sibrwd,

"Peidiwch â chymryd arnoch. Mae 'na hogan ifanc wedi diflannu yn Harlech. Neithiwr. Newydd riportio ma'n nhw." Pwyntiodd at y llofft. "Mae o yma – Dave. Tempar y diawl arno fo. Ddaru chi ddim clywed dim gen i, reit?"

Yn yr oruwchystafell roedd hanner dwsin o blismyn ar gyfrifiaduron, Dave ar y ffôn a'i wyneb fel taran. Cerddodd draw at Sion Gwyn. Gwnaeth hwnnw arwydd arno i wylio'i dafod a nodio at Dave. "Geith o ddeud. 'A'r seithfed dydd y gorffwysodd,' medda'r Gair, ynte?"

"Dim ond galw i weld."

"Dim ond galw o ddiawl. Busnesu. Gen i newyddion hefyd,

gan fod ti yma. Mae teulu'r mans wedi hedfan o Speke i Majorca ddydd Gwener, ond doedd efe, Mr Doyle, ddim hefo nhw. Mae o un ai wedi mynd i guddio neu, o bosib, wedi hedfan o rwla arall – rwla fel Dulyn, 'wrach. Mi gown wbod."

"Lle mae hi, y bòs?"

"Rhyw fusnas personol. 'Nôl yn hwyrach. Dyna un rheswm am… y dyn blin."

Rhoddodd Dave glec i'r derbynnydd a chodi'n wyllt. Rhegodd dan ei wynt ac yna sylwodd ar y Sarjant a rhythu arno am rai eiliadau.

"Ar dy holides? Ti 'di clywed? Merch, *twenty-two-year-old*, wedi cered allan o *nursing home*… Yn Harlech, neithiwr. *Ordinarily* achos o *missing person* ydi o, ond mae pawb yn HQ yn *jumpy* iawn. Y Chief yn cael cathod bach, uffen. Felly mae rhaid i *muggins* fama fynd draw, toes, jest rhag ofn. Ffansi dod efo fi? *Local knowledge and all that.*"

"A' i adre i newid. Deg munud."

"Dim amser i hynny. Gei di fod yn DI Davies am heno. Dim ond galw a gweld be 'di be. A ti'n nabod pawb. Tyd. Mae Mrs Kavanagh yn disgwyl ni."

Daeth yn amlwg mewn dim o dro nad y ferch o'r cartref oedd yn blino'r ditectif ond helyntion Wrecsam, a fu dim rhaid i Idwal ofyn cwestiwn. Roedd Dave yn fwy na pharod i fwrw ei fol.

"Weitia di i fi gael y ffycin *man mountain* allan o'r Maelor. Geith o weld be 'di *interrogation*. Fydd y Spanish Inquisition ddim ynddi, mêt. Gown ni weld fydd o'n sticio at 'i stori pan fydd y doctor 'na allan o'r ffordd."

"Dal i feddwl mai fo nath, felly?"

"Ydw. Achos do's gynnon ni neb arall yn y lle iawn ar yr adeg iawn, nag o's? Un peth dw i yn gwbod, uffen, dydi o ddim yn deud y gwir... Mae o'n cuddio rhwbeth. Neu, mae o'n gwbod rhwbeth. Ond mi ga i wbod, paid poeni."

"A'r DI?"

Gollyngodd Dave anadl hir, swnllyd o rwystredigaeth gan wneud ei orau i beidio â thanseilio ei fòs. "Pawb dyddie 'ma efo hawlie... ffycin hawlie... hwligans, hwdlyms, pob un â ryw ff... fflipin hawl. Be bynnag o'dd hi, mi o'dd gan yr hogan Debbie 'na hawl he'd... a'i thad... a'i brawd. Ffor ffycs sêc. Sori... am y rhegi."

Penderfynodd Idwal droi'r stori. "A be am y ferch fach o'r cartre 'ma?"

Adroddodd Dave y ffeithiau fel rhaff trwy dwll.

"Ffilipino. Dyna 'di rhan fwya'r staff. Yn Castle View ers dwy flynedd. Mi aeth pedair o'r merched allan nos Wener i dre... tacsi... pob dim yn iawn. Gweithio dydd Sadwrn... ac medde Mrs Kavanagh, bòs y lle, mi gerddodd allan 'i hun, nos Sadwrn a welodd neb hi wedyn. Dim ffrae. Dim byd. Be bynnag, gown ni weld. Gwranda, 'swn i'm yn wastio'n amser ond mae'r Chief yn nerfus, tydi. Y gair *serial killer* yn bownsio rownd 'i ben o a gweld *headlines* cachu yn y *Post*... rhagor o *headlines* cachu."

Roedd Mrs Kavanagh yn eu disgwyl. Dynes dal, hunanfeddiannol, ganol oed. Teimlodd Idwal rywfaint o siom mai Saesnes o Swydd Efrog oedd hi ac nid Gwyddeles, a sylwodd wrth iddi siarad nad oedd wedi meistroli'r 'ch' yn Harlech na'r 'th' na'r 'g' ym Mhorthmadog eto er ei bod yno ers pymtheg mlynedd, meddai hi, ac yn hapus iawn. *"It's a lovely little place with sunsets to die for."* Llythrennol wir, mae'n siŵr, meddyliodd. Wrth gerdded i'w swyddfa pasiodd y ddau blismon ddrws â ffenest i mewn i lolfa'r gwesteion. Roedd yn drefnus a glân a theledu mawr yn y canol.

"'Na chdi. Fanna byddi di, Sarjant, yn watsio *daytime tv.* Rhwbeth i edrych ymlaen ato fo."

Doedd gan y perchennog fawr ddim i'w ychwanegu ond dangosodd luniau teledu cylch cyfyng oedd yn dangos y ferch yn cerdded allan o'r fynedfa. Doedd ganddi ddim ces a doedd dim arwydd ei bod yn dianc, nac yn bryderus. Galwyd ar fetron y cartref oedd hefyd o dras Asiaidd ac yn siarad Saesneg yn rhesymol dda, a doedd dim rheswm ganddi hi i feddwl bod gan y ferch unrhyw bryderon mawr chwaith. Ychydig o hiraeth efallai, ond dim mwy na'r cyffredin. Doedd cyd-weithwyr y ferch fawr o help, gan fod eu Saesneg yn glapiog iawn.

Felly, gadawodd y ddau Castle View a neb fawr callach. Unig sylw Dave oedd ei bod hi'n gwilydd gwlad bod pobl yn dod i weithio i Great Britain heb fedru siarad 'Susneg' yn iawn, gan gynnwys y metron. Soniodd o ddim am ddiffygion ieithyddol Mrs Kavanagh a phenderfynodd Idwal mai calla dawo oedd y polisi gorau y noson honno. Roedd y ddau yn gytûn serch hynny bod rheswm i bryderu am hynt y ferch ac y byddai Dave yn gyfrifol am greu adroddiad ar ei union ar gyfer Lucy Green a'r pencadlys. Wrth lywio'r car ar hyd ffordd droellog gul yr arfordir rhyfeddai Dave fod unrhyw un wedi gallu dod o hyd i Harlech, heb sôn am foddro codi castell yn y ffasiwn leoliad. Ond daeth gwell hwyliau arno pan gofiodd am wybodaeth oedd wedi dod i law.

"O ie, dy fêt di, Prytherch..."

"'Di o'm yn fêt i mi..."

"Nac 'di? Wel, eniwe, o't ti'n iawn. Mi fuodd 'na gŵyn yn 'i erbyn o."

"Pryd? Yn ddiweddar?"

"O, na... mam un o'i gleients. Bachgen ifanc... deud bod o 'di gneud cynnig... be 'di'r gair – amhriodol. Ond pan sgwennodd y Law Society ati hi am fanylion, chlywon nhw ddim byd. Ond, yn fwy diddorol, mi gaethon nhw gŵyn o Marrakech amdano fo… dw i'n gwbod… Mei nabs 'di bod ar 'i holides yno a hogan ifanc 'di'i gyhuddo fo o ymosod arni… trais. Y tro yma mi dynnodd 'i theulu hi'r cyhuddiad yn ôl… *end of*… ond roedd ei thwrne mor flin efo'r teulu mi sgwennodd at y Gymdeithas i gwyno. Ond heb *charge*, ddigwyddodd dim. Felly ma'r twrne mawr yn chware ffwtbol a criced i bob golwg."

"Sut ddiawl gest ti wbod hyn i gyd?"

"*Elementary, my dear Davies*. Dyna pam dw i yn dditectif a chdithe… ddim."

Er cymaint ei awydd i gydio yng nghorn gwddf Dave cafodd y gras i ymatal. Ond doedd y ditectif ddim wedi gorffen.

"Nabod pobol, sy'n nabod pobol sy'n gwbod y pethe 'ma."

"Ti'n mynd i ddeud wrth y bòs?"

"Dydw i ddim yn *convinced* bod hyn yn mynd â ni i nunlle. Am y tro."

"Mae Prytherch yn gwbod bod rhywun 'di bod yn gneud ymholiade. Mi ddeudodd wrtha i neithiwr. A doedd o ddim yn hapus iawn."

"Dw i ddim yn y busnes o neud pobol yn hapus. Ryw syniad ble oedd o ar y nos Sadwrn… sti, pan gafodd Debbie…?"

"Chware'r organ mewn eglwys am saith…"

"Ar nos Sadwrn?"

"Ymarfer ar gyfer cyngerdd. A wedyn aeth at 'i fam am swper. Gadel tua un ar ddeg."

"Sut wyt ti'n gwbod nene?"

"Nabod pobol, sy'n nabod pobol, sti."

A dyna ddiwedd y sgwrsio. Yn y maes parcio gwnaeth alwad neu ddwy, ond doedd pryderon ac anniddigrwydd Idwal ddim wedi diflannu a phenderfynodd alw i weld a oedd

Lucy Green wedi cyrraedd. Roedd ei char wedi ei barcio ger talcen y bwthyn, a phan atebodd y drws roedd golwg arni fel petai wedi heneiddio ddeng mlynedd mewn wythnos. Doedd hi ddim mewn lle da.

"Jest galw i weld 'ych bod chi'n iawn," a pharablodd Idwal ymlaen am yr ymweliad â'r cartref a'u pryderon am y ferch. Doedd dim arwydd ei bod yn gwrando'n iawn ond yna camodd o'r drws a dweud, "Drwg gen i. Tyd i mewn. *Go*... mynd... trwy," gan arwyddo at lolfa ym mhen draw'r coridor. Safodd yntau yng nghanol yr ystafell oeraidd a'r dodrefn pin rhad. Ymunodd hithau toc wedi taflu rhyw siaced wlân hir amdani. "Newydd dod 'nôl. Ti isio drinc? Paned? *A bit disorganized, sorry. Go through it again*. Eto, diolch."

Ailadroddodd yr hanes gan nodi'r anawsterau iaith yn y cartref. Edrychai hithau'n fach iawn ac ansicr, yn belen ar y soffa fregus.

"Byddaf yn mynd draw bore fory. Mae'r Super yn poeni... *a lot*." Distawrwydd.

"Dw i 'di bod yn meddwl, Ma'am. Ffonies i gapten y clwb golff ac mi geith o griw i gerdded y cwrs a'r twyni bore fory... jest rhag ofn. A dw i 'di cysylltu â'r criw Achub Mynydd ac mi gerddan nhw'r Morfa draw at yr Ynys... os 'dech chi'n teimlo bod angen." Roedd hi'n syllu arno bellach. "Ac efo'r busnes iaith 'ma... y merched 'ma... dw i'n digwydd nabod capten llong, Capten Morris... yn byw tu allan i Talsarne. Mi fuodd yn hwylio fferis rhwng Macau a Manilla am ddeng mlynedd ar hugien ac yn siarad pob math o ieithoedd, medde fo. Mae o'n hen ond mae o yno i gyd. 'Wrach medra fo gyfieithu... os byddwch chi'n teimlo bod angen, wrth gwrs."

Roedd hi'n rhoi ei holl sylw iddo erbyn hyn. "Rwyt ti wedi

bod yn prysur. Diolch. Ti'n dod gyda fi fory... ar ôl y briffing. Oedd Dave yn ok?" holodd yn betrus.

Llwyddodd i osgoi'r cwestiwn a soniodd am amheuon y ditectif.

"Mae Arwyn yn... *hiding*?"

"Cuddio."

"Cuddio, rhywbeth. Ond dw i ddim yn siŵr bod mae o'n lladd Debbie. Ond, *who knows*?"

Cododd Idwal i fynd. Cododd hithau. Roedd gwên fach ar ei hwyneb.

"Diolch, Sarjant. Rwyt ti'n... wy da...? *Do you say that in Welsh?*"

"Ym, na."

"Wel, *anyway*, dw i'n gwbod. Mae pobol yn parch, *respect you*. Ti'n gwneud i pobol teimlo'n saff. A fi hefyd."

"Dim ond gneud 'y ngwaith..."

Chwarddodd Lucy Green. "Chi pobol Cymraeg. *Can't take a compliment*."

Cerddodd y ddau at y drws a mentrodd Idwal ofyn,

"'Dech chi'n siŵr 'ych bod chi'n iawn, rŵan?"

Amneidiodd i gyfleu ei bod hi, gan godi ei hysgwyddau ar yr un pryd i awgrymu'r gwrthwyneb.

"Bydd pethau'n iawn, dw i'n siŵr... lot o pethau yn mynd ymlaen gyda fi a'r partner a... Rwyt ti wedi colli plentyn, 'do? Chi."

Edrychodd Idwal yn syfrdan.

"Sori, *I shouldn't have...* mae'n drwg gen i, sori. Mae fy meddwl yn llawn, *oh God...*"

"Mae'n iawn, siŵr. Do, mi gollon blentyn, yn fabi, merch fach. Bum mlynedd ar hugien yn ôl bellach."

Edrychai Lucy yn ddiddeall wrth iddi geisio arwyddo nad oedd am wybod.

"Dau ddeg pump o flynyddoedd yn ôl."

"O! Mae'n drwg gen i. *So sorry. I really should not...*"

"Popeth yn iawn, siŵr. 'Den ni wedi... dygymod... am wn i."

"Am peth ofnadwy i... chi..."

"Ro'dd Llinos, wrth reswm, yn... Roedd hi'n anodd iawn arni."

"A ti..." meddai fel ffaith.

Syllodd Idwal arni a chydnabod hynny gyda'r ystum lleiaf posib. Gwenodd.

"Fel'na mae hi. 'Dyn a aned i flinder.' Cymwch ofal a wela i chi yn y bore."

Pentyrrai pob math o feddyliau trwy ei ben wrth yrru'n ofalus ar hyd y ffyrdd llithrig am adref; y rhan fwyaf ohonynt i ddisodli meddyliau ac atgofion nad oedd croeso iddynt bellach. Anelodd y car am y maes parcio uwchlaw traeth y pentref i gael awyr iach a sadio'i hun. Ar gyffordd oedd yn arwain i fyny allt at stad o dai sylwodd ar gar yn troi ac yn llithro yn ei ôl yn araf a tharo carreg y palmant. Gwelodd ddyn wedi ei lapio mewn côt drwchus yn camu allan yn frysiog ac yn llithro ar ei hyd ar lawr. Stopiodd y car. Roedd y dyn yn stryffaglu i godi'n ffrwcslyd ac adnabu ef fel gweinidog yn y dre.

"Ydech chi'n iawn, Mr Williams?"

"Ydw, tad. Wel, nac dw, fel gwelwch chi."

"Gadael y car faswn i. 'Wrach y dôn nhw i raeanu bore fory. 'Wrach."

"'Dach chi'n meddwl? Hynny ydi, meddwl mai gadal y car fasa ora, Sarjant."

"Ydw. Ben dant. Drychwch, gerdda i efo chi i fyny. 'Neith les i'r ddau ohonon ni."

"Awgrymu 'mod i'n dew ydach chi?"

"Lles i'r ddau ohonon ni ddwedes i. Dowch."

A rhywsut, wrth gydgerdded yn ofalus ac araf gyda'r gweinidog a sgwrsio am hyn a'r llall, llwyddodd Idwal Davies i gladdu ei feddyliau o'r golwg, am y tro.

Y nawfed dydd

YN NHYWYLLWCH RHEWLLYD y bore bach dewisodd yrru y ffordd hir i'r gwaith trwy'r pentref er mwyn osgoi'r allt hir gul ar ochr y dref. Roedd hi'n beryg bywyd dan draed a byddai lled y ffordd fawr yn cynnig mesur o ddiogelwch os câi sgid hwch. Ni thalai fawr o sylw i'r newyddion traffig am Bont Britannia a chylchdro Coryton eto fyth, ond ystyriodd a ddylai'r cyhoeddwr dderbyn tâl ychwanegol neu lai o gyflog am ailadrodd ei hun bob bore wrth i'r traffig brysuro ar un ac i giwiau ddatblygu ar y llall. Gwyddai ei fod yn bigog wrth feddwl am y dydd o'i flaen. A doedd y cyhoeddiad bod disgwyl eira trwm o'r Cyfandir erbyn canol yr wythnos ddim yn llonni ei galon chwaith. Fel behemoth o'r nos rhuthrodd lorri graeanu'r Cyngor ato gan luchio cawod genllysg o sglodion halen dros ei gar. Blydi hel! Prif bennawd y newyddion oedd diflaniad y ferch o'r cartref nyrsio yn Harlech ynghyd ag apêl gan lefarydd ar ran yr heddlu am unrhyw wybodaeth. Roedd rhywun wedi symud yn gyflym.

Cafodd wybod gan Liz bod y drindod eisoes mewn cyfarfod. Ar ôl deall nad oedd galwad wedi dod o Castle View aeth i'w swyddfa a dechrau ffonio. Yn yr oruwchystafell roedd prysurdeb yn teyrnasu er yr awr gynnar; Lucy Green wedi trefnu i aelodau o uned gyffuriau'r pencadlys ddod lawr i weithio ochr yn ochr â Sion Gwyn. Trefnwyd i fynd i ailholi pawb oedd ag unrhyw gysylltiad â'r achos. Dave oedd â chyfrifoldeb am fynd â chrib fân drwy stori'r tad a'r mab. Roedd eraill i'w galw i mewn yn ystod y dydd. Y disgwyl oedd y byddai Arwyn yn gadael yr ysbyty trannoeth, a byddent yn ei gadw yn y ddalfa a'i holi yn galed unwaith eto am ddigwyddiadau'r noson. Roedd Dave yn amlwg yn edrych ymlaen at yr ymrafael. Cyhoeddodd hefyd y byddai canlyniadau'r profion DNA yn cyrraedd a'u bod yn cael eu prosesu ar hyn o bryd i chwilio am sampl cyfatebol. Pan gyrhaeddodd Idwal roedd hi'n amlwg bod egni newydd yn yr ymchwiliad, gyda Lucy Green yn arwain. Doedd dim argoel o'r ferch ansicr, fregus a welsai'r noson gynt a dywedwyd wrtho i fod yn barod i'w gyrru i Harlech rhag blaen.

Wrth yrru draw am Bont Briwet i groesi'r Ddwyryd, ceisiodd Idwal osgoi sôn am y noson flaenorol trwy ofyn am y penderfyniad i fynd yn gyhoeddus am ddiflaniad y ferch o'r Philippines. Ateb y Dirprwy oedd iddi gofio cyngor a gawsai flynyddoedd ynghynt gan hen lag ei bod hi'n hanfodol i arweinydd, pan oedd mewn lle cyfyng, beidio â dangos unrhyw ansicrwydd a gweithredu fel pe bai pob dim dan reolaeth. Byddai hynny'n prynu amser o leiaf. Mentrodd holi hefyd am y prawf DNA.

"Ges i'r argraff nad oedd be ddigwyddodd cyn y dafarn yn berthnasol?"

"Argraff?"

"*Impression.*"

"O! Dydw i ddim. Dydi o ddim. Ond mae'n pwysig i *dangle hope*... gobaith o flaen y tîm. Bod rhywbeth yn mynd i digwydd. Dyna beth mae *politicians* yn gwneud trwy'r amser. Mae pethau yn mynd i gwella. Rhywpryd."

Toc wedi gadael Talsarnau canodd Blackberry Lucy Green. Sgwrs sydyn ac yna gofynnodd i Idwal stopio'r car. Darllenodd hi ei he-bost ac yna camu allan a dechrau ffonio. O'i flaen gwelai Idwal dŷ helaeth isel ar boncen a godai o'r tir gwastad, cartref Capten Redvers Morris. Cerddai Lucy Green yn ôl a blaen wrth gynnal ei sgwrs rhag iddi fferru yn yr awel fain. Yna bu'n sefyll, yn pendroni, cyn camu i'w sedd yn crynu drosti.

"Castle View."

Tynnodd Idwal ei sylw at gartref y Capten, gan awgrymu y byddai'n werth mynd am sgwrs efo fo rhag ofn y byddai angen help i gyfieithu, pe bai galw. Eglurodd nad oedd wedi gweld y Capten ers deng mlynedd ond ei fod yn barod iawn i fod o gymorth.

Yn y lolfa, lle roedd golygfeydd bendigedig i'w gweld o Ben Llŷn draw at Garn Fadryn trwy un ffenest lydan a chribau Eryri trwy'r llall, safai gŵr tal oedrannus mewn *blazer* las tywyll, crys glas golau a chrafát. Rhaid ei fod wedi bod ymhell dros chwe throedfedd yn ei breim ac yn ddyn golygus. Mynnodd fod pawb yn eistedd a gollyngodd ei hun yn araf i'w gadair Chesterton drom.

"Heb 'ych gweld chi'n golffio ers talwm, Capten?"

"Na. Rois y gore iddi pan a'th Gu yn sâl... 'y ngwraig, 'chi. Dyddgu. A wedyn, wel, dw i'm isio gneud ffŵl o fy hun. Ti'n dal wrthi...?"

"Yn gneud ffŵl o fy hun? Ydw."

Trodd y sgwrs at yrfa'r Capten.

"Fuis i yno am dros ddeng mlynedd ar hugien, wchi. Hwylio rhwng Manila, Hong Kong a Macao. Fferis gan fwya. Ddysgis i'n fuan iawn i siarad, neu ddallt o leia, pob iaith bosib ar fwrdd llong. Mandarin wrth gwrs a Tagalog a'r lleill. Ugeinie ohonyn nhw. 'Runig ffor' i gadw cow ar y criw. Hynny a pistol, debyg iawn. Ie, yn rhyfedd iawn mi fues i draw yn Castle View fy hun, toc wedi i mi ymddeol."

Allai Idwal ddim peidio sylwi bod unrhyw air Saesneg yn swnio'n Americanaidd yng ngenau'r Capten ac yn cael ei ymestyn.

"Clywed bod merched o'r Ynysoedd yn gweithio 'no a meddwl 'wrach y medrwn i gadw tipyn ar yr iaith, wel, ieithoedd... jest rhyw sgwrs o dro i dro. A roedd, be 'di'i henw hi? Mrs Cavendish...?"

"Kavanagh."

"Ie, Kavanagh, yn *keen*. Meddwl 'se'r merched yn gwella'u Susneg. Ond... roedden nhw'n ifanc ac yn *giggly*... ac mi es i deimlo'n... yn..."

"Chwithig?" cynigiodd Idwal i dorri ar y distawrwydd.

"Ie. Chwithig. *Spot on. And I beat a hasty retreat.* Ond ryw flwyddyn wedyn mi es am ginio i'r Glendower Hotel, bwyd da yno bryd hynny, a dod ar draws boi o Quezon City o bob man... drws nesa i Manila, wchi, yn gweithio yno. A diawl, 'chgen, mi fues i'n mynd yno bob pythefnos wedyn, prynu pryd iddo fo a siarad am bob dim a dim byd, 'te. Ond, fel y golff, mi ddoth i ben pan aeth Gu'n sâl."

Wrth gerdded am y car, fel pe bai'n meddwl yn uchel, dywedodd Lucy Green, "Mae'n siŵr mae o'n anodd iawn i gwraig Redvers... a fo dim adre..."

Bu peth oedi cyn i Idwal ymateb.

"Roedd sôn bod gynno fo ddau deulu. Un fama ac un draw yno. 'Swn i'm yn synnu."

"Ti'n gwbod pob peth, Sarjant." Hyn wrth iddi gau drws y car.

"Na. Dw i ddim yn gwbod sut mae hwnna'n gweithio, er enghraifft," gan gyfeirio at y Blackberry yn ei llaw.

"Na. Y peth cyntaf, cyntaf. Castle View. Wedyn mae gen i job i ti."

*

Ddaeth dim newydd i'r amlwg yn yr ymweliad â Castle View. Edrychwyd ar y lluniau camera cylch cyfyng eto, cyfweld y staff. Pharodd y cwbl ddim mwy nag awr. Yn ôl yn y car eisteddai Lucy Green yn dawel gan ysgwyd ei phen.

"Ble mae hi'n mynd... Isa de Rosario, y Ffilipino o Castle View? Mae hi'n mynd i rhywle..."

"Mi drodd i'r dde... am ganol y dre, ond wedyn..."

"Dydi hi ddim yn gwybod neb."

"Nabod," sibrydodd Idwal.

"*Okay, okay*, nabod." Distawrwydd.

"Hoffwn i siarad gyda'r merched... a dim y metron yno. Wyt ti'n deall? Ond rhaid cael *interpreter.*"

"Y Capten?"

"Mm. Efallai."

"'Dech chi am i ni alw yn y Glendower... rhag ofn bod y dyn o Quezon City yn dal yno?" gan ddynwared llediaith y Capten.

Nodiodd ei phen yn ddidaro. "Pam dim?"

Cafodd y gras i beidio â'i chywiro. Roedd y Glendower Hotel yn honglad o le a welsai ddyddiau gwell ac oedd yn ceisio goroesi mewn byd nad oedd ei angen. Cawsai gôt o baent magnolia yn ddiweddar fel colur trwchus ar wyneb hynafol. Gardd gwrw ar hances boced o lawnt, nosweithiau *karaoke open mike* a chinio dydd Sul amheus o rad. Roedd yr arwydd uwchben y drws yn datgan mai W&M Trevor oedd yn dal y drwydded a chawsant groeso gan un o'r ddau, sef gwraig radlon brysur a ymddiheurai fod ei gŵr wedi gorfod mynd i 'Landydno' i nôl offer ar gyfer y bar. Pan holwyd am y gŵr o Ddinas Quezon, ei chwestiwn oedd 'pa un?' Roedd Angelo wedi bod yno ers blynyddoedd cyn i Mr a Mrs Trevor gyrraedd ac yn gallu troi ei law at unrhyw beth, gan gynnwys coginio. Ymunodd cefnder iddo, John Paul, yn fwy diweddar. Ond yn anffodus, roedd Angelo wedi ei daro'n wael ddeuddydd ynghynt ac yn absennol. Trodd Idwal ei lygaid at y Dirprwy ond roedd hi'n dal i wenu ar y dafarnwraig barablus.

"I hope he isn't in any trouble. He's our right hand man."

"No, no. We just need a word."

Cynigiodd fynd i nôl ei gefnder gan rybuddio nad oedd Saesneg hwnnw llawn cystal, ac i ffwrdd â hi. Edrychodd Lucy Green ar ei chydymaith heb fradychu dim, ond roedd ei meddwl yn amlwg ar waith. Aeth munudau heibio cyn i Mrs Trevor ddychwelyd yn ffrwcslyd gan ymddiheuro.

"He was here. Ten minutes ago he was here. I spoke to him. He was filling in over lunch. And his bike has gone."

Teimlodd Idwal ei galon yn dechrau curo'n gyflymach ond roedd ei fòs yn hollol hunanfeddiannol.

"I'll phone him. Now."

"No, no need for that. Does he live locally?"

"They... He lives with Angelo."

O fewn dim cafwyd cyfeiriad. Un o'r tai lego erchyll a godwyd i lawr ar y Morfa yn yr wythdegau. Diolchwyd i'r dafarnwraig ac awgrymwyd y byddai'n well peidio sôn am eu hymweliad wrth neb rhag codi bwganod.

"Ti'n nabod ble mae hwn?"

Gyrrodd Idwal i lawr allt y coleg a throi am y stad a dod o hyd i'r stryd.

"Gyrru yn araf, Sarjant. Dim James Bond rydyn ni. A paid â stopio wrth y tŷ."

Roedd Vectra llwyd o flaen yr eiddo a beic yn pwyso ar wal gerllaw. Daeth gŵr ifanc allan a thaflu bag i'r sêt gefn cyn dychwelyd i mewn. Gorchmynnwyd i Idwal droi i mewn i stryd gyferbyn a pharcio yn ddigon pell ond yng ngolwg y car. Aeth galwad am gefnogaeth ceir a heddlu ychwanegol a rhoddwyd rhif y Vectra a disgrifiad ohono. Roedd rhywrai yn symud ar y llawr isaf.

"Go!" gwaeddodd Lucy yn sydyn. Roedd y dyn ifanc wedi ailymddangos ac yn neidio i mewn i'r car. Llwyddodd Idwal i gyrraedd yr adwy mewn pryd a'i chau ond sgrialodd y Vectra yn ôl a gyrru dros ardd drws nesaf ac am y lôn fawr. "Let him go." Rhoddwyd gorchymyn i gau y lonydd oedd yn arwain i'r dref. Mater cymharol hawdd fyddai hynny gan fod y môr ar un ochr a'r Rhinogydd fel mur gyferbyn.

"Ti. Drws yn y cefn. Mae rhywun arall yma."

Cerddodd yn wyliadwrus am y cefn, ond pan oedd o fewn cyrraedd y drws agorodd yn sydyn a neidiodd dyn allan a sach gerdded yn ei law. Cafodd Idwal ergyd i'w ysgwydd nes iddo faglu yn anosgeiddig i ganol y biniau ailgylchu. Erbyn iddo godi roedd y dyn ddeugain llath a mwy oddi wrtho ac yn rhedeg nerth ei draed. Wnaeth Idwal ddim ystyried ei ymlid.

"Sarjant. Yma. Byddwn yn dal fo *anyway.*"

Arweiniodd y Dirprwy y ffordd at y grisiau a gwrando cyn dechrau dringo yn araf. Doedd dim arwydd bod neb yno. Y tair llofft a'r ystafell molchi yn wag. Arwyddodd y Dirprwy arno i aros yn ei unfan a chlustfeinio. Uwch eu pennau roedd drws i'r atig. Pwyntiodd hithau ato. Edrychodd Idwal o'i gwmpas a dod o hyd i ffon fetel a bachyn ar un pen. Un gwthiad ac agorodd y drws ar i lawr. Bachodd yr ysgol a'i thynnu tuag ato. Erbyn hyn roedd griddfan isel yn hyglyw hyd yn oed i glustiau Idwal. Ar fatres ar lawr yr atig gorweddai merch o dras Asiaidd yn crio mewn panig wedi ei chlymu wrth drawst a *gaffer tape* ar draws ei cheg

"Chwilio am *scissors*, cyllell."

Bu Lucy Green yn ofalus iawn wrth ollwng y ferch yn rhydd

gan siarad yn dawel ar yr un pryd, a llwyddwyd i ddod â hi i lawr i'r lolfa yn araf a phwyllog. Erbyn hyn roedd ceir yr heddlu yn dechrau cyrraedd a gwnaeth Idwal ei orau i drefnu na fyddai'r Vectra yn mynd ymhell. Galwyd hofrenydd yr heddlu a gofalodd fod plismyn yn teithio ar bob trên rhwng y Bermo a Phorthmadog. Gyda lwc roedd y rhwyd yn cau a byddai'r Glendower Hotel yn chwilio am staff newydd yn y bore.

Lucy Green benderfynodd alw ar wasanaeth Capten Morris a gyrhaeddodd cyn bo hir mewn Rover hynafol, anferth. Wrth gamu yn drwsgl o'r car gwrthododd bob cymorth a gan bwyso ar ffon oedd â charn o garreg *jade*, cerddodd yn herciog, urddasol am y drws.

Roedd y ferch yn dipiau a galwyd am feddyg. Safai Idwal wrth ddrws y tŷ yn sicrhau nad oedd neb yn dod i mewn yn ddiangen cyn i'r fforensics gyrraedd, a chadwai un llygad ar y Capten. Sefydlwyd yn gynnar nad oedd y ferch wedi ei threisio'n rhywiol ond wrth iddi barablu, rhwng pyliau o igian crio, daeth golwg o annealltwriaeth i lygaid tywyll y Capten wrth iddo drafod yn daer. Roedd yr ystafell yn llawn tensiwn, pawb ar bigau ac yn dal eu tafodau rhag tarfu ar y ferch druan. O'r diwedd trodd y Capten at Lucy Green a lledu ei freichiau.

"Mae hi'n deud... mae hi'n deud..." a'r llais dwfn yn crygu dan y straen, "mai'r metron ddaru ddeud wrthi am fynd i gwarfod Angelo. Do'dd hi ddim yn hapus yn y cartre. Isio symud at ryw ffrindie sy'n gweithio yn Lloeger ac mi oedd Angelo yn gaddo ei helpu, medde'r metron, i ffeindio job iddi. Ond wedi iddi ddod yma do'dd hi ddim yn 'i drystio fo ac roedd arni ofn mynd yn ôl i'r cartre... ac mi drodd pethe'n hyll... fel 'dech chi'n..."

Yn dawel ond penderfynol mynnodd y Dirprwy fod y

Capten yn cadarnhau'r stori unwaith eto. Allai Idwal ond edmygu ei ffordd resymegol drefnus ynghanol yr hwrlibwrli. Daeth cadarnhad bod yr A496 wedi ei chau i'r gogledd ger Llandecwyn ac i'r de ym mhentref Tal-y-bont. Cysylltodd y Dirprwy â'r pencadlys gan awgrymu bod yr Uned Masnachu Pobl yn cymryd yr achos wedi iddi hi arestio'r metron a'i chyflwyno i'w gofal. Roedd Rheolwr Rhanbarth y Gorllewin ar ei ffordd i oruchwylio'r ymdrechion i ddal y ddau ŵr o Ddinas Quezon oedd ar ffo yn Ardudwy o bob man ar wyneb daear. Rhyfedd o fyd, meddyliodd Idwal. Roedd ar ei gythlwng ac yn ystyried y caffi agosaf pan alwodd y Dirprwy arno cyn gadael am Castle View.

"Job i ti," gan chwifio'r Blackberry yn ei llaw. "Mae gennon ni *positive ID* i'r DNA ar Debbie. Dyn o Landudno. Stori hir. Ond mae o wedi... mynd AWOL. Ers... tri, pedwar blwyddyn. Dim y fo mae o... ond rhywun sy'n y teulu. Ok? Mae HQ yn edrych ar teulu'r tad. Mae ei mam yn dod o Harlech, *would you believe it*? Ond mae hi wedi marw. Enw... beiro, Sarjant... Myfanwy Jane Thomas. *Born 1921.* 3 Brynmor Terrace. Tad a mam, Mr a Mrs J. R. Thomas. Tria ffindio'r teulu, Sarjant. Ti'n gwbod pawb. Lwc da."

Wrth iddo ystyried beth i'w wneud a theimlo'n flin drosto'i hun, trawodd ei lygad ar PC Huw Owen ynghanol criw o blismyn lleol yn symud am eu ceir.

"Huw! Be wyt ti'n neud?"

"Ym. Meddwl mynd draw am Landecwyn i helpu."

"Reit. Cyn mynd i fanno dos i Brynmor Terrace. Cura ar bob drws a gofyn a oes rhywun yn cofio'r teulu yma'n byw yn rhif tri – yli, dos â'r papur yma efo ti. Ac oes 'na rai o'r teulu'n dal yn y cyffinie."

"O, Sarj!"

"Paid â'n 'O Sarj' i'r diawl bach. Go brin y bydd neb yn cofio. Lwcus os cei neb i'r drws ar dywydd fel hyn."

"Lle ma'r Brynmor Terrace 'ma?"

"Be wn i? Ar allt? Yng ngolwg y môr? Sbia ar y map. Dos, a ffonia fi ar ôl i ti orffen. Diolch yn fawr, PC."

"Diolch, Sarj."

Aeth Idwal i'w gar ac wedi pendroni ffoniodd ei gyfaill newydd ers y noson gynt. Y Parchedig Richard 'galwch fi'n Dic' Williams. Esboniodd ei fod yn chwilio am rywun dros ei bedwar ugain, brodor o'r dre, fyddai'n debyg o adnabod cylch eang o bobl frodorol. O fewn dim cafodd enw. Miss Ceri Evans, cyn-athrawes ac ysgrifennydd yr eglwys, er bod y capel wedi cau, ac a oedd o gwmpas ei phethau yn iawn. Tŷ teras carreg ym mhen ucha'r dref oedd y cyfeiriad a chafodd groeso gan wraig drwsiadus a gwallt claerwyn wedi ei lapio'n fynsen ar dop ei phen.

"Dowch i mewn, Mr Davies. Mae Mr Wilias wedi ffonio i baratoi'r ffordd i chi. Un da ydi o. Un hwyliog mewn cynebrynga, chware teg. Ewch i'r parlwr. Ddim yn amal bydda i'n cael dyn yn y tŷ i chi gael dallt." A chwarddodd. "Maddeuwch y llanast." Roedd y lle fel pìn mewn papur. Yn y parlwr safai piano y tu ôl i'r drws a llyfr emynau yn agored arno. Un cwpwrdd llyfrau, drysau gwydr, ac un arall heb ddrws a gâi ddefnydd cyson. Gorweddai llyfr agored ar fwrdd ger y lle tân nwy a chymerodd gip arno. *Dyddiadur Mari Gwyn* gan Rhiannon Davies Jones, darllenodd. Ond yn ganolbwynt i'r ystafell, ac i Idwal y prynhawn hwnnw, roedd hambwrdd ac arno blatiaid o fara brith a chacen sbynj gyda hufen. Manna o'r nef a thipyn mwy blasus i blismon ar ei gythlwng. Daeth Miss Evans i mewn â thebot wedi ei guddio mewn *tea cosy* gwlân amryliw.

"Steddwch, Sarjant. A 'stynnwch am y bwyd. Fel tasech chi adre, 'te. Siwgwr? Llefrith? Un o ble ydech chi, felly?"

Fuodd hi fawr o dro yn gwneud rhyw gysylltiad â rhyw berthynas pell o Ddyffryn Ardudwy ac olrhain eu hachau. Tra oedd hi'n parablu bachodd sleisen arall o fara brith heb deimlo'n euog iawn. O'r diwedd cafodd gyfle i egluro'i neges a'r ymchwil am deulu Myfanwy Jane Thomas nad oedd ond ddwy flynedd yn hŷn na Miss Evans. Ond doedd dim yn tycio. Dim cof ohoni yn yr ysgol na dim. Roedd hi'n amlwg yn eithaf blin efo hi'i hun am fethu adnabod cyd-frodor.

"'Wrach eu bod nhw wedi symud o 'ma?" cynigiodd Idwal.

"Beryg 'i bod hi. Blynyddoedd ar ôl y rhyfel yn adeg llwm a gwaith yn brin. Rown ni un cynnig arni, jest rhag ofn. Nyintin twenti wan. Reit." Cododd ar ei thraed. "Sbectol... sbectol... A dyma ni. Adroddiadau Blynyddol yr Eglwys. Roedd hi'n eglwys niferus adeg hynny. Maen nhw i gyd gen i fama. Yn yr Archifdy mae eu lle nhw, dw i'n gwbod, ond... fydd neb am eu darllen wedi i mi fynd." Agorodd ddrysau isaf y cwpwrdd gwydr.

"Dyma ni. Un naw dau un i..."

Allai Idwal ddim peidio â sylwi ar yr hufen trwchus a'r jam yn goferu o ganol y sbynj.

"Reit... Bedyddiadau. Wel wir i chi. Dyma hi. Myfanwy Jane Thomas, merch Mr a Mrs J. R. Thomas. Pwy feddylia? Ond lle aeth hi... lle aethon nhw? A phryd?" Trodd dudalen neu ddwy.

"Cyfraniadau'r plant... mm, mae 'na Domosiaid erill yma wrth reswm. Margaret, Jennifer a bechgyn. Ond dim cyfeiriadau... felly, pwy a ŵyr a oedden nhw'n perthyn."

Roedd Ceri Evans wedi hen arfer arwain, a hi bellach oedd yn cyfeirio'r ymchwil hwn.

"Hwdwch," gan estyn adroddiad neu ddau iddo. "Sbïwch ar y rhestr cyfraniadau i weld pryd mae cyfraniad y Tomosiaid yn dod i ben… os ydyn nhw hefyd. Dau ddeg dau… ydyn, dal i gyfrannu."

"Does dim sôn am Mr a Mrs J. R. Thomas yn 1925," meddai Idwal yn craffu ar ei adroddiad.

"Reit. Dau ddeg pedwar… Ydyn. Felly, maen nhw'n gadael cyn i mi ddechra'r ysgol. Dyna pam nad oeddwn i'n ei chofio, welwch chi," ychwanegodd yn fuddugoliaethus. Roedd y darganfyddiad yn cadarnhau nad oedd cof Ceri Evans yn pallu ond sylweddolai Idwal nad oedd hyn o ddim help i'w ymchwil o, ac estynnodd am yr adroddiad i nodi enwau plant â'r cyfenw Thomas, rhag ofn.

"A does dim ffordd o wybod i ble bydden nhw wedi symud, debyg? Dim cofnod yn unlle."

"Dim yn yr adroddiad, na. Wrth gwrs, mi fydden, yr adeg hynny, yn mynd â'u tocyn aelodaeth efo nhw i'w heglwys newydd fel arfer. Oes 'na gofnod o hynny? Dibynnu pa mor drwyadl oedd yr ysgrifennydd ar y pryd."

Cloddiai Ceri Evans ym mhellafoedd ei chof a siarad ar yr un pryd.

"Pwy fydde fo, 'radeg hynny? Oedd Rowli 'di dechrau, tybed?" Edrychodd ar Idwal a hwnnw'n dal i lygadu'r sbynj.

"Mr Rowlands. Buodd o'n ysgrifennydd am ddegawdau. Fo dw i'n gofio. Os mai fo oedd o, mi fydd 'na gofnod. Roedd o'n barticilar iawn. Gwerth sbio. Dowch." Diflannodd am y gegin gefn.

"Lawr fanna," ac agorodd ddrws cul i'r seler. "Watsiwch lithro. Mae'n gul. Ar y chwith. Bocs carbord lliw piws. Peidiwch â dod â'r bocs neu ddowch chi ddim trwy'r drws. Mi fydd y blynyddoedd ar y clawr rhywle." Ac am yr ail waith y diwrnod hwnnw cafodd Idwal ei hun yn bustachu'n drafferthus trwy agennau cyfyng gan ddifaru pob teisen a fwytasai erioed. Cludwyd y gyfrol clawr caled i'r parlwr a Ceri Evans yn ei llawn hwyl.

"Roedd Mr Rowlands yn ymfalchïo yn ei gofnodion â'i ysgrifen *copperplate*. Cofio Nhad – a fydde fo byth yn defnyddio iaith fras, byth – yn dod 'nôl o ryw bwyllgor capel lle roedd Mr Rowlands wedi darllen llith diddiwedd o gofnodion ac wedi cael llond ei getyn. 'Taswn i'n taro rhech mi fysa Bob John yn ei chofnodi tase fo'n gwbod sut i neud,' medde fo wrth Mam. Honno'n gwaredu a ninne blant yn chwerthin nes bod ni'n sâl." A dechreuodd hithau chwerthin wrth gofio.

"Cymwch hi. Dyna be mae hi da." Ac estynnodd Idwal am y darn teisen olaf yn ddiolchgar.

Trodd Ceri Evans y tudalennau yn gyflym.

"Y ffasiwn ddiwydrwydd... y gweithgarwch a'r trefnu... a'r cyfan yn mynd, wedi mynd... yn angof. Neb ddim callach. Fel tasan nhw erioed wedi bod... A ha. Diolch, Mr Rowlands. Cododd ei golygon a dal y Sarjant yn brwydro i gael y deisen, yr hufen a'r jam i'w geg heb iddi ddatgymalu'n llwyr. Estynnodd hances bapur i'w helpu i gael trefn ar ei geg a'i ddwylo gan wenu.

"Dim byd tebyg i ddyn yn mwynhau ei fwyd. Reit, dyma ni. Mis Mai, y trydydd ar ddeg, un naw dau pedwar. 'Cyflwynwyd eu tocynnau aelodaeth i Mr a Mrs J. R. Thomas gan ddymuno pob dedwyddwch iddynt yn eu cartref newydd yn Nyffryn Conwy.' Dim cyfeiriad. A dyna hanner ateb i'ch pos, Sarjant."

Er iddo orfod mentro'r grisiau serth unwaith yn rhagor, diolchodd yn ddiffuant am y croeso, y te ac am ymdrechion yr hen wraig ar ei ran.

"Raid i chi ddim, siŵr. Dw i ddim 'di cael cymaint o hwyl ers talwm. Cofiwch alw eto."

Dyna frid sy'n prinhau, meddyliodd wrth yrru oddi yno. A ddaw 'na 'run David Attenborough i'w hachub hi a'i thebyg. Canodd ei ffôn. Huw oedd yno. Dim lwc. Dau dŷ haf. Un pâr ifanc newydd symud i'r coleg, dyn blin drws nesaf oedd yn cwyno am sŵn cerddoriaeth aflafar y cwpwl ifanc a chwpwl hŷn o'r Midlands oedd yn awyddus i drafod baw cŵn ar y ffordd.

*

Cyrhaeddodd y swyddfa wedi ymlâdd i glywed fod yr ieuengaf o'r ddau ffoadur wedi ei restio wrth ddal y trên yn Llanbedr ger yr hen faes awyr segur. Doedd dim golwg o'r llall.

Yn yr oruwchystafell cyraeddasai Rheolwr Rhanbarth y Gorllewin i gymryd gofal o'r helfa.

"Sut mae hi, Ron? Neu dw i fod i dy alw di'n Mr Thomas?"

"Idwal. Clwad bo' chdi 'di ennill dy gyflog heddiw 'ma."

"Do. Gna dithe 'run modd, 'te. Ond mi fydd rhaid i chdi weithio tipyn cletach am y pres ma'n nhw'n dy dalu di."

Roedd o'n adnabod Ronald Thomas ers degawdau. Plismon o'r hen deip; y teip nad oedd bellach yn ffasiynol i'w dyrchafu.

"Fuest ti o fewn dim i'w ddal o dy hun, medda'r bòs."

"Modfeddi, Ron, modfeddi. Ond do'n i'm isio cymyd y clod i gyd fy hun, yli."

"Gown ni o yn bora. Mi fydd wedi fferru i ti."

*

Yn swyddfa'r Arolygydd adroddodd Idwal ei stori a derbyn canmoliaeth a diolch.

"Ti'n gwbod... nabod... y lle."

"Ydw a nac dw. Mi fydd rhaid i ni ddechre holi fory. Ond mae wyth deg mlynedd 'di mynd heibio..."

"Rydyn ni'n chwilio am llofrudd, Sarjant."

Doedd hon bellach ddim am hel dail na derbyn esgusodion. Cytunodd a dweud y byddai'n dechrau ei ymholiadau'n ddiymdroi. Bu'n pendroni yn ei swyddfa cyn rhoi caniad i Bob Hughes. Cofiai i'r cynghorydd sôn rywdro fod ei fam yn dod o ardal Llanrwst.

"Sgin ti deulu yno o hyd?"

"Na. Neb. Mi fuo 'nhaid farw cyn 'y ngeni i ac roedd Nain wedi symud at gyfnither iddi yn y Brithdir toc wedyn. Ond mi hola i o gwmpas. Dw i'n nabod un neu ddau yn yr ardal. Pobol sy'n nabod eu patsh, os ti'n 'y nallt i. Sgin ti enw?"

"Y ddynes sy o ddiddordeb i ni ydi Myfanwy Thomas... Elliot ar ôl iddi briodi."

"Elliot? Iawn. O Lanrwst?" gofynnodd Bob Hughes.

"Na. Prodi boi o Landudno nath hi a symud i fyw yno."

"Reit. Wela i. Mi wnawn 'yn gora. Cym ofal."

Digon i'r diwrnod ei ddrwg ei hun, meddyliodd. Adre. Mewn deg munud safai Idwal o flaen ei gartref a'i ddwylo yn ddwfn ym mhocedi ei gôt fawr. Roedd hi'n noson serog a'r awel yn fain. Yr ochr draw i'r aber gwelai oleuadau ceir yn symud yn ôl a blaen a llifoleuadau cerbydau'r heddlu yn fflachio ar dro ar draws y Morfa. Rhywle yn fanno, ar ei gythlwng ac yn rhynnu, roedd dyn o Ddinas Quezon yn ffoi am ei fywyd filoedd o filltiroedd o'i gartref a'i gynefin. Doedd o'n haeddu dim cydymdeimlad, er y gallai ddychmygu ei ofn a'i ddychryn yn cripian dros y rhostir.

"Ti isio niwmonia? Tyd. Paned ar y bwr'."

Adroddodd binaclau'r dydd wrth Llinos a hithau'n gwaredu a chwerthin am yn ail. Roedd ei chwerthin yn falm i'w galon.

"Dw i mor falch bo' chdi'n ddiogel, Id," gan ychwanegu, ar ôl saib, "Mi fyddwn ni'n iawn, sti," gan bwysleisio'r 'fyddwn'.

Ac er mai geiriau o gysur oedd y rhain, i Idwal Davies ar y pryd roedden nhw'n ddychryn pur. Wrth ddal ei wraig yn ei freichiau yn y gwely clyd y noson honno clywodd sgrech tylluan ifanc, a dychmygai chwiban y gwynt trwy hesg y morfa a rhuthr cyson y tonnau'n torri ar y traethau.

Y degfed dydd

LLED-ORWEDDAI RON THOMAS, Rheolwr Rhanbarth y Gorllewin, yn ei gadair yn sipian cwpanaid arall o goffi du oedd wedi hen stiwio. Tystiai osgo ei gorff blinedig a'i lygaid trwm i noson ddi-gwsg.

"Rip Van Winkle uffern," oedd cyfarchiad cysurlon Idwal wrth gerdded i mewn ben bore. "Wedi dianc i fyny trw Fwlch y Tyddiad mae o, gei di weld."

"Paid â malu cachu, Davies. Sgin ti'm gwaith i neud?"

"Dos allan am awyr iach, Ron. 'Na i aros o gwmpas jest rhag ofn."

Ond doedd dim symud ar y Rheolwr. "Mae o allan fanna rhwla. Wedi fferru i ti. Mi fydd yn falch o gael 'i ddal, gei di weld."

"Hofrenydd?" holodd Idwal.

"Ar 'i ffordd. Ac mi awn rownd pob cwt a beudy erbyn diwadd y pnawn."

Cafodd Idwal air brysiog gyda Sion Gwyn wrth iddo adael cyfarfod gyda'r Dirprwy.

"Rhwbeth diddorol?"

"Na. Ailholi pawb oedd yn y Pen-y-Bont. Gobeithio ffendio *nugget* yng nghanol y rwbel, 'te. A maen nhw wedi dod o hyd i Doyle yn Lerpwl."

"Da... ble roedd o'n cuddio?"

"Cuddio? Cael sesh yn Yates's Wine Lodge, Queen Square. Fuost ti mewn un erioed?"

"Dim i mi gofio, na."

"Mi faset yn cofio... cofio mynd mewn o leia. Ma'n nhw'n

dod â fo i HQ heddiw, ryw ben. Gest ti lwc efo teulu Dyffryn Conwy? Pan gei di enw, neu enwau, tyd â nhw i mi, mae gin i DC uffernol o frwd yn disgwyl am waith. Pritchard, tyd yma. Dwed be ti'n wbod."

"Yn John Bright's buodd y Tudor 'ma... y boi mae ei DNA gynnon ni. Ond does dim record 'i fod o mewn ysgol gynradd yn y dre. Boi digon clyfar. Gradd mewn electronics... Bangor. Ond dipyn bach o *oddball*. Roedd un boi yn cofio bod o'n galw 'i fam a'i dad yn Myf a Stan bob tro... ond mae rhai yn gneud hynny, dw i'm yn deud. Ro'dd Stan yn foi reit amlwg yn y dre. Round Table a ballu. A mi ges i sgwrs efo hen fachgan oedd yn 'i gofio fo a mi ddwedodd hwnnw beth rhyfadd," ac edrychodd ar ei lyfr nodiadau. "Dyma fo. *The lad wasn't Stan's... that's what he told me when he was pissed in the Grosvenor one night. Never mentioned it again, mind.* Ond mae o wedi diflannu... ers... wel ers yr achos pan gath o ei restio."

"A dwed wrth y Sarjant be oedd hwnnw."

"Torri mewn efo GBH ar hen ddyn. Ond electronics ydi pethe Tudor. Diseblo larymau a torri syrcits."

Esboniodd Idwal am ei ymchwiliadau am deulu'r fam a'r cyswllt capeli ac wedi cael cefn y DC galwodd ei gyfaill ers deuddydd, y Parchedig 'Dic' Williams. Unwaith eto roedd hwnnw yn fwy na balch i helpu. Cafodd rif hen weinidog yn Nyffryn Conwy oedd yn adnabod pob siaradwr Cymraeg o Gwm Penmachno i'r môr heb sôn am swyddogion eglwysi'r fro oedd ar agor, wedi cau neu ar siwrnai rhwng y ddau. Yn wyrthiol roedd hwnnw gartref ac yn fwy brwdfrydig na'r Parchedig Williams hyd yn oed. A phan ddeallodd mai Bedyddwyr oedd y teulu dan sylw doedd dim taw arno. Oedd, roedd yn cofio siop drydan Elliot's yn Llandudno yn iawn ac yn cofio prynu weiarles transistor yno unwaith a chof hefyd o Stan yn cael ei urddo'n faer y dref. Eglwyswr oedd Stan, gwaetha'r modd, a na, doedd o ddim yn gyfarwydd â'r wraig na'r plentyn. Byddai wedi setlo'r dirgelwch ei hun, ond roedd ar y ffordd i gynhebrwng ac yn gorfod gadael am Lundain drannoeth i gyfarfod pwysig. Ond rhoddodd addewid y byddai'n creu rhestr o enwau, rhifau cyswllt a chyfeiriadau pobl a allai fod o gymorth a chael y wraig i ffonio yn y bore. Ychwanegodd rybudd i gysylltu ag un ysgrifennydd capel yn y bore gan ei fod yn tueddu i fynd yn ffwndrus braidd erbyn y pnawnia. Roedd yn siŵr bod y Sarjant yn dallt pethau felly fel dyn o brofiad. Pan ddychwelai o'r ddinas, a bod angen hynny, byddai'n fwy na pharod i gynnig cymorth i'r heddlu oedd yn gwneud gwaith mor ardderchog mewn oes mor anfoesol. "Da boch chi, a bendith arnoch chi, 'machgian i," oedd ei gyfarchiad ffarwél. Wrth roi'r derbynnydd yn ei grud teimlai Idwal ei fod wedi camu'n ôl hanner canrif i fyd ei blentyndod. A daeth ton o hiraeth am fyd symlach, llai sinigaidd. Ond roedd heddiw yn dal i bwyso, anfoesol ai peidio.

O fewn awr roedd rhywbeth tebyg i *nugget*, fel y galwasai Sion Gwyn hi, wedi ymddangos yn yr orsaf ar ffurf hen wreigan wedi ei lapio fel nionyn a bag-dros-nos yn ei llaw.

"Mae'n dod o Dan-y-graig a mae hi isio siarad efo rhywun, ond mae'n reit ansicr... a hen ffasiwn..." meddai Liz gan edrych yn ymbilgar.

"Fatha fi?"

"Na... wel, ia, mewn ffordd... ond dw i ofn rhag iddi ddychryn os daw..." a throdd ei llygaid tua'r oruwchystafell.

"Tyd â hi i mewn. Waeth iddi wastio'n amser i mwy na neb arall."

Wrth weld wyneb fflamgoch yr hen wraig o dan ei chap gwlân cynigiodd Idwal baned iddi.

"O diolch, Sarjant. Te gwan, llaeth a thair llwyaid o siwgwr, plis. Thenciw. Mae'n gafal."

Doedd hi ddim yn siŵr a oedd ei stori yn werth ei hadrodd ond gan ei bod yn pasio drwodd mi feddyliodd y dylai ddweud wrth rywun. Daeth y rhagarweiniad hwn wrth iddi stryffaglu i ddadfachu strap ei bag llaw oddi ar ei gwddf, tynnu'r cap, tynnu ei menig ac agor ei chôt.

A phan glywodd y geiriau "I dorri stori hir yn fyr..." fe wyddai fod sesiwn go faith o'i flaen. Chafodd o ddim cyfle i ofyn ei henw.

"Dydd Sul o'dd hi... wsnos i ddydd Sul, be s'arna i."

"Ddrwg gen i dorri ar 'ych traws chi... lle 'dech chi'n byw?"

Rhythodd yr hen wraig arno'n syn. "Tan-y-graig, 'te. Ddudodd yr hogan bach 'na ddim?"

"Do, ond ble...?"

"O, wela i. Ia. Nymbar thri, Stryd Groes. Rownd y gongol i Tai Cynfal."

"'Na ni. Diolch."

"Ro'n i 'di codi'n gynnar. Dw i'n byw'n hun, 'chi. Achos ro'n i'n mynd i gartra'n chwaer ym Mhwllheli. Ro'dd hi'n gorod mynd mewn... mewn i Sbyty Gwynedd," a gan ostwng ei llais a phwyntio ar i lawr ychwanegodd, "Trwbwl *down below*. A ro'dd hi am i mi fynd yno i ofalu am Raymond, y gŵr, tra bydda hi yn..." a gwnaeth ryw ystumiau amhendant i gyfleu'r heldrin oedd yn disgwyl ei chwaer. "Fues i dest â deud wrthi y bydda'n gneud lles iddo fo lwgu am wsnos. Raymond. Hy! Diog fel ffwlbart... ond calla dawo, 'te, Sarjant. Do'n i'm am neud ffŷs. Ar y ffor' yn ôl ydw i rŵan. Ta waeth, nai i Glad oedd am ddod i fy nôl i. Ond ro'dd rhaid i mi fod yn barod yn gynnar achos o'dd gynno fynta rwbath arall i neud, felly mi godish yn blygeiniol a chadw llygad allan amdano fo. A dyna pryd weles i bic-yp Arwyn yn mynd heibio. Wel, gymis i mai un Arwyn oedd hi. Mi fydd yn mynd fora Sul i brynu papur weithia a dod â'i fam i amball beth yn pentra. Ta waeth, 'nesh i'm meddwl dim."

"Pryd oedd hynny, Mis... us?"

"Mrs Griffis. Jane Griffis. Gladdis i'r gŵr chwe blynadd yn ôl. Do..."

"O, ddrwg gen i."

"Dda iddo fo ga'l mynd, yn diwadd. Oedd."

"Faint o'r gloch oedd hi?" Trodd Idwal y sgwrs yn ôl at ddigwyddiadau'r bore.

"O ia, tua chwartar i wyth, ddeudwn i. Ia, chwartar i. 'Nesh i'm meddwl dim, naddo. Wedyn, 'rôl golchi llestri mi gofis am y bins, mwyn tad, ac mi esh i i'r cefn i'w nôl nhw. A digwydd sbio draw am y parcing a gweld y pic-yp... pic-yp Arwyn yn y gongol bella. A fel ro'n i'n troi i bowlio'r hen fin gwyrdd mawr 'na mi gwelis i o... wel, gweld 'i gap a pwff o fwg ochor draw. Fedra i'm bod yn siŵr mai fo oedd o, 'te. Yn goleuo oedd hi... ond sgwydda fel hyn gynno fo, toes, fel cefn tas. A dyna fo i chi. A faswn i'm 'di meddwl dim ond bod yr hen fusnas yma 'di codi... Debi bach... a phob dim. Wnes i'n iawn, Sarjant?"

"Do, mi wnaethoch. Rŵan, dw i'n mynd i ofyn i chi ddeud 'ych stori eto, yr un fath yn union, wrth bobol bwysig. Ond gadwch salwch 'ych chwaer allan..."

"Ia, 'dach chi'n iawn. 'Cofn i mi ybsetio rhywun, 'te."

Adroddodd ei stori unwaith yn rhagor cyn cael ei chymryd i wneud datganiad ffurfiol. Ymunodd Idwal â'r triawd yn ystafell y Dirprwy.

"Wel, beth rydyn ni'n meddwl?" gofynnodd Lucy Green gan edrych ar bawb yn ei dro. "Dave?"

Cymerodd hwnnw ei amser cyn ateb.

"Yden ni'n credu'r hen ddynes 'ma?"

Distawrwydd.

"Mae hi'n fanwl iawn," oedd cynnig Idwal.

"Ci at ei chwydu," meddai Dave yn ddidaro gan roi arlliw o gwestiwn yn y gosodiad. Edrychodd Green mewn penbleth arno.

"Sarjant. Ti ydi'r cyfieithydd swyddogol." Gwenodd Dave arno.

"A dog to his vomit."

"Rwyt ti'n meddwl?"

Penderfynodd Sion Gwyn geisio lleddfu'r eiliadau lletchwith.

"Mae digon o enghreifftia tebyg, toes. Ond mae pwyso â dy gefn ar ddrws car mewn maes parcio ben bora yn smocio yn ymddygiad braidd yn *bizarre*, tydi? Ond... ac mae theori Idwal 'ma bod hi'n meddwl gadal ben bora yn bosib, tydi? Ac ma Arwyn oedd y *chauffeur*."

Chwarddodd Dave ar y syniad o Arwyn yn sioffer i neb.

"Dim 'yn theori i ydi hi. Gavin O'Neill ddeudodd." Difarodd Idwal swnio mor bigog.

"Wel, *anyway*, beth rydyn ni'n gwneud? Mynd i Wrexham heddiw a conffryntio Arwyn."

"Na, *no way*." Roedd Dave wedi rhagweld hyn. "Aros tan fory'r bore. Cael o allan o afel y doctor 'na, rhoi o mewn *cell*, a wedyn gofyn be ddiawl oedd o da fanna bore dydd Sul. Fydd o ddim yn disgwyl hynny ac 'wrach mai dyna'n *best bet* ni i ddychryn o. A *who knows*?"

Cytunodd Lucy Green heb ddweud dim. Pan gyrhaeddodd Idwal y cyntedd roedd Jane Griffiths wrthi'n cau ei chôt ac ar ei ffordd i ddal y bws pedwar o'r gloch.

"Na, chware teg, Mrs Griffiths bach, ga i un o'r dynion i fynd â chi. 'Dech chi 'di bod o help garw i ni." Edrychodd draw at Liz ond cododd honno ei hysgwyddau. Roedd pawb allan wrth gwrs yn chwilio am y dyn o ben draw'r byd. "Dowch. Ro i bàs i chi." Ac er iddi brotestio bod gan y Sarjant bethau gwell i'w gwneud â'i amser, doedd dim dwywaith nad dyma'r newyddion gorau a gawsai ers pythefnos fan lleiaf. Yn y car trodd y sgwrs yn anochel at ddigwyddiadau'r wythnos gynt.

"Hen hogan bach iawn oedd hi, cofiwch, a chofio pwy di'i thad hi, be bynnag ma'n nhw'n ddeud. Siriol bob amsar. A pharchus. Cofiwch, fydda Maldwyn 'cw'n deud os oedd Bryn yn deud bod hi'n ddwrnod braf y dylach chi fynd tu allan i jecio'r haul, rhag ofn. Ond, 'na fo, cyn wirioned ag ydi o, mae o'n ddigon diniwad yn y bôn. A mi fagodd y plant 'na rwsut."

"Sut oedd hi rhwng Debbie a'i thad?"

"Iawn, ddwedwn i. Ro'dd hi'n ofalus ohono fo, meddan nhw."

"A Mark?"

"Fedra i'm deud. Ddim hannar mor serchog â'i chwaer. Syndod 'u bod nhw cystal, deud gwir."

Wedi i Idwal ei chael yn ddiogel i'w chartref canodd ei ffôn. Robert Hughes oedd yno yn holi tybed oedd rhagor o wybodaeth fyddai'n helpu ei ymholiadau. Allai Idwal ddim gweld rheswm i gelu'r ffeithiau.

"Oes, mae 'na rywfaint rhagor o wybodaeth, Bob."

"Am y ddau? Y fam a'r mab."

Saib arall. "Ie. A dw i 'di gneud cyswllt lleol addawol... pam? Be sy?"

"Dim... Well i ni gael gair."

Pan ddeallodd fod Idwal yn Nhan-y-graig mynnodd ei fod yn aros yno. Roedd ar fin gadael ei swyddfa a byddai'n cyrraedd mewn ugain munud, mwy neu lai. Gallent gael sgwrs ym Mrynhyfryd.

Roedd yn difaru cytuno fel roedd yn diffodd y ffôn. Roedd hi'n gyfnos a phob argoel ei bod am fod yn noson rewllyd arall yn y mynyddoedd. Cyrhaeddodd bws ysgol y sgwâr a diflannodd y disgyblion gwelw yn ddiymdroi a di-sgwrs am eu cartrefi, neu i geir oedd yn eu disgwyl. Doedd dim adyn i'w weld. Agorodd y drws a chamu i lwydni diwedd prynhawn gan adael y car o fewn golwg sylwgar Jane Griffiths. Cerddodd draw i ben pella'r stad gan gadw at y palmant gyferbyn â chartref y teulu Richards. Croesodd y ffordd at y llwybr cyhoeddus a arweiniai heibio talcen y tŷ pen. Ar y chwith iddo codai wal uchel o slabiau llechi. Gyferbyn, ar ei ochr dde, roedd ffens rydlyd a gwrych pren bocs blêr yn gwarchod preifatrwydd tenantiaid rhif un. Yng nghefnau'r tai roedd coediach a llwyni drain yn bygwth llyncu'r llwybr a redai'n gyfochrog â gerddi'r rhes. Safai ambell hen gwt a garej hwnt ac yma yn y drysni. Lle digon diogel i Debbie a Neil brynu a gwerthu, meddyliodd.

Daeth golau lamp ymlaen ryw ugain llath yn uwch i fyny'r llwybr. Rhaid ei bod yn dyddio o gyfnod pan oedd gan gynghorau lleol arian i bethau defnyddiol o'r fath. Cerddodd ati gan deimlo'r glaswellt yn crensian dan draed a stopio dan y golau lle gwyrai'r llwybr i'r dde. Ym mhen y llwybr gallai weld pelen gron ar dop piler mynedfa'r fynwent. Roedd hi'n dawel. Fel y bedd, meddyliodd, a saethodd ias o gryndod trwy ei gorff. Trodd yn ei ôl am y ffordd fawr. Synhwyrodd arogl mwg, mwg sigarét, ac arafodd ei gam wrth ddod at gefnau'r tai. Daeth yn ymwybodol o'i anadl ei hun a daeth llafn o olau i'w ddallu. Trodd ei gefn at y wal a chodi ei fraich.

"Pwy...?"

"O, chi sy 'na, Sarjant."

Camodd Mark o'r cysgodion.

"Meddwl 'mod i 'di clywad sŵn rhywun. Cael ffag o'n i a bach o awyr iach."

"Digwydd pasio ro'n inne, yli, a rhyw fusnesu." Curai calon Idwal fel gordd.

"Ia, hen lwybr chwarelwyr ryw oes. Chwareli Ty'n Mynydd a Rhydau Duon. Dod allan wrth y fynwant o dan Pencraig a Brynhyfryd... cartra Bob Hughes, fel 'dach chi'n gwbod."

Wyddai o ddim yn iawn beth i'w ddweud na sut i esbonio pam ei fod yno o gwbl. Aeth i banig llwyr.

"Welest ti bethe mawr allan yn y llefydd pell 'na, ma siŵr. Sgynnon ni ddim syniad..."

Tynnodd Mark yn drwm ar ei sigarét ac amneidio. "Do, *engineer* o'n i. Do'dd Irac ddim mor ddrwg ond am Affganistan... mae'n rhemp yno. Ac os ydi Bush neu Blair yn meddwl bod nhw wedi ennill ma'n nhw *away with the fairies*. Dyna pam ddesh i allan. Do'n i'm yn barod i risgio 'mywyd ar y... gachfa yna. Dim diolch. Well gin i *radiation* Traws."

"Dw i'm yn dy feio di, 'ngwas i. Pryd 'nei di ailafael yn y gwaith?"

"Dw i'm isio gadal 'rhen ddyn ond 'wrach bydd rhaid i mi. Gown ni weld dydd Iau."

"O ie, dydd Iau. Pob lwc i ti. Wna i 'ngore i symud pethe yn 'u blaene."

A diolchodd Idwal am gael dianc heb orfod esbonio dim mwy er nad oedd dim i'w esbonio.

Ym Mrynhyfryd cafodd y baned o de a gynigiwyd iddo groeso twymgalon. Arweiniodd Robert Hughes y ffordd trwy'r lolfa, heibio'r Kyffin ar y wal a'r drws ffrynt i stydi a llyfrgell y cynghorydd. Yn un pen safai silffoedd llyfrau yn ymestyn hyd y nenfwd. Dwy gadair esmwyth, desg ysgafn a chadair waith, biwro a theledu. Syml, chwaethus a drud. Ar y muriau roedd hen fapiau a phrintiau hanesyddol.

"I fama dw i'n dianc, yli. Ges i docyn o lyfra ar ôl y giaffar. Neb o'r teulu â diddordab. A dw inna wedi hel dros y blynyddoedd. Hanas lleol ydyn nhw ran fwya. Dyna 'nileit i. A hwn, yli," gan gyfeirio at fap hynafol o Feirionnydd. "Hwn adawodd yr hen Dwalad i mi yn 'i 'wyllys. Map gwreiddiol gan John Speed. Werth ffortiwn."

Mynegodd Idwal ei ryfeddod at y cynnwys gan geisio dyfalu beth oedd pwrpas yr ymweliad.

"Stedda. Reit. Sgin ti ragor am y Tudor... Elliot 'ma a'i fam felly? Rhag ofn y bydd o help i mi."

"Wel, oes, fel dudis i. 'Den ni ddim yn credu mai Elliot ydi 'i dad o yn un peth."

"O! Sut felly?"

Anwybyddwyd y cwestiwn.

"Ac mae 'na ddirgelwch ynglŷn â ble cafodd o'i addysg gynradd. Ddim yn Llandudno o bosib, sy'n od iawn."

"O, wela i."

"Ond 'wrach bod hyn i gyd yn amherthnasol erbyn hyn..."

"Pam?"

Safai Bob Hughes o flaen map Speed o Feirionnydd a dros ei ysgwydd gwelai Idwal yr enw Harlech yn crymanu i'r tir.

"Chwilio am deulu ydan ni. 'Wrach bod gen y Myfanwy 'ma frodyr neu chwiorydd, plant... mae 'na enwau... Margaret, Jennifer ond... mi gown weld be ddaw."

Adroddodd y cyswllt a wnaeth gyda'r gweinidog hollwybodus a'r ditectif ifanc eithriadol o frwd.

"Felly, os nad oes ots gen ti, 'sa well i mi 'i throi hi. Bygwth rhew eto."

Gollyngodd Bob Hughes ei anadl allan yn araf a bwriadus.

"Aros am funud."

"Na, Bob. Mae 'di bod yn ddwrnod hir."

"Myfanwy. Anti Myf. Tudor. Tudur… Hughes… 'y mrawd bach i."

Teimlodd Idwal ei stumog yn rhoi tro sydyn. Doedd ei ymennydd ddim yn gallu dilyn goblygiadau llawn yr hyn a glywodd ond fe wyddai fod y tir dan ei draed yn symud.

"Jennifer… Anti Jeni. Margaret… Mam. Sut ddiawl wnest ti…?"

Roedd Idwal yn dal i drio prosesu'r hyn a glywsai er mwyn ymateb. Llyncodd yn galed a gafael yng nghefn y gadair agosaf.

"Ddudis i wrthat ti bod ni'r plant wedi gorod mynd at berthnasa pan aeth Mam yn wael. Wel, at Anti Myf ac Yncl Stan i Landudno aeth Tudur. Do'dd Stan… Stanley ddim yn medru, neu ddim isio, deud yr enw Tudur a gan 'i fod o'n dechra ysgol uwchradd mi newidiodd 'i enw fo i Tudor. Ac fel Tudor Elliot y cafodd o'i nabod wedyn. A mi gadwodd y ddau enw, sy 'di bod yn handi iawn iddo fo. Mi fydden ni'n mynd unweth y flwyddyn i'w gweld nhw. Anti Myf yn ddynes ffeind, hwyliog. P'run bynnag, ro'dd Tudur yn glyfar yn 'i ffordd 'i hun ond yn hoff o gadw be fydda Mam yn alw'n 'gwmni drwg' a dyna sut yr aeth o i helynt, nid am y tro cynta, cofia, ryw chwe blynadd yn ôl. Roedd Anti Myf mewn cartra erbyn hynny, yn alcoholig i bob pwrpas. Ges i alwad i helpu Tudur unwath eto… unwath yn ormod. Dalis 'i ddyledion o a deud wrth fo am ddiflannu o 'mywyd i. Ac mi wnaeth… tan ddoe."

"Does gynnon ni ddim diddordeb yn… Tudur." Difarodd yn syth. Rhythai Bob Hughes arno. Gwyddai Idwal y dylai ddod â'r sgwrs i ben ond roedd yn methu peidio gwthio'r cwch i'r dŵr.

"Mae DNA dy frawd gynnon ni sy'n..."

Plygodd Bob Hughes ei ben ac ochneidio. "Debbie?"

Clywai Idwal dician llafurus yr hen gloc mawr yn y gornel. Roedd Robert Hughes yn dwysystyried.

"Mae'n ddwy flynedd... a mwy, mae'n siŵr. Gwerfyl yn ffonio'r gwaith. Isio i mi ddod â negas o Tesco. Pwy oedd ar y til ond Debbie. Ro'dd hi ar fin gorffan shifft a mi ofynnodd am bàs adra. Gytunis inna. Ro'n i wedi prynu'r tir gin 'i thad hi erbyn hynny a ma siŵr bod hynny ar 'i meddwl hi. Yn ystod y siwrna mi ddeudodd bod hi'n benderfynol o adal y lle 'ma i weld y byd. Pam lai, me' finna, syniad da. Yr unig beth oedd hi angan, medda hi, oedd pres. Ac mi nath yn glir sut y medra'r ddau ohonan ni helpu'n gilydd... Paid â sbio arna i fel'a... Dw i ddim yn beio neb ond fi fy hun, iawn? Doedd petha ddim yn wych adra 'ma, ond... does gin i ddim cwyn. P'run bynnag, mi ddoth yn... drefniant rhyngon ni... a dyna lle buish i ar y nos Sadwrn yna cyn 'i gollwng hi yn y Pen-y-Bont. Dyma'r tro ola, medda hi, gan 'i bod hi'n gadal. Ddudodd hi ddim pryd, ond yn fuan, yn ôl 'i sŵn hi. Dw i'n deud 'tha chdi, doedd 'na'm dyn hapusach yn y dyffryn 'ma na fi y noson honno. Ro'n i 'di trio rhoi gora i... i'r peth, droeon... ond... y cnawd sydd wan."

Yn y distawrwydd roedd Idwal yn methu cael ei feddwl i drefn.

"Mi fydd rhaid i ti ddod i mewn, yn bydd? Fory. I ddeud dy stori."

"Be? Paid â siarad yn ffycin wirion."

Doedd o erioed wedi clywed Bob Hughes yn rhegi o'r blaen. Erioed.

"Ti'n dyst pwysig. Mae 'na hogan wedi'i lladd, Bob."

"Dim y fi laddodd hi, naci? Os do i mewn mi golla i bopeth,

gnaf? Mi eith y stori ar led mewn cachiad Nico." Roedd Bob Hughes mewn panic. "Golla i 'nghartra. 'Y nheulu. Popeth dw i 'di'i ennill dros y blynyddoedd. Fy enw da. Ia. Chwertha, os ti isio... enw da... ma pobol yn 'y nhrystio i, sti. Pob dim. Yn ffliwt. Ac i be? Mi fydd y... pwy bynnag wnath... a'i draed yn rhydd a 'myd i'n rhacs a chitha ddim mymryn nes i'r lan."

Cododd yn sydyn ac estyn cyfrol ddu o'r silff a'i hagor.

"Beibl teulu Mam. Teulu Llain Fach." Rhoddodd ei law ar y dudalen enwau tu fewn i'r clawr wrth edrych i fyw llygaid Idwal.

"Doedd gen i ddim i'w neud â lladd yr hogan bach 'na, ar fy llw. A does gen i'm syniad pwy wnaeth, chwaith. Ar fedd fy mam. Dallt?"

Camgymeriad oedd aros mor hir. Fe wyddai Idwal hynny. Roedd fel pe bai ei berfedd wedi syrthio i waelod ei stumog bellach. Roedd llais y Sarjant yn adlewyrchu'r corddi yn ei ben a'i stumog.

"Dim ots am hynny. Mae rhaid iddyn nhw gael gwbod ble roedd hi ac efo pwy."

"A be wedyn, Id? Fyddwch chi ddim iot yn nes at ffindio'r llofrudd. Ond mi fydd 'y mywyd i a 'nheulu wedi chwalu'n racs. Ro'dd yr hogan mewn hwylia da yn y Pen-y-Bont... pawb yn deud... rois i bres iddi. Ro'n i'n falch bod hi'n mynd. Pa reswm oedd gin i i'w lladd hi?"

"Faint?"

"Faint? Cannoedd. Taswn i isio'i lladd hi pam ddiawl na faswn i'n 'i thaflu i mewn i'r llyn ar y Migneint? Pam, ac i be, baswn i'n dod â hi i fynwant drws nesa i 'nghartra, mwyn Duw? I be?"

"Ddyliat ti ddim fod wedi deud dim wrtha i felly."

"Roeddat ti'n gwbod, y diawl. Enwa'r chwiorydd gin ti. Dw

i'm yn gofyn i ti neud dim... dim deud clwydda. Jest prynu bach o amsar. Mi ffeindiwch y llofrudd toc, gnewch? Siawns? A be wedyn? Pa iws fydd hyn i chi wedyn?" Roedd Robert Hughes yn ymladd am ei fywyd ac fe wyddai hynny. "Ti 'di clywad am Arwyn?"

Syllodd Idwal yn hurt arno.

"Dyna pam dydi Gwerfyl ddim yma. Mae hi efo Dilys. Mi ddengodd Arwyn o'r Maelor yn gynnar pnawn 'ma."

"Ti'n deud clwydda rŵan."

"O, nac dw. Ffoniodd yr ysbyty y cartra rhag ofn bod 'i fam o'n gwbod rhwbath. Mi ddychrynodd honno am 'i bywyd, 'do. Dyna'r ail waith iddo fo fynd o'ch gafal chi, 'te. Pam? Pam dengid?"

Trodd Idwal ar ei draed ar goesau sigledig. Roedd am adael gyda rhywfaint o urddas, os gallai.

"Fedra i mo dy helpu di, Bob. Sori. Fedra i ddim."

Roedd Idwal yn symud am y drws pan ddechreuodd Robert Hughes siarad.

"Glywis am gyw plismon rywdro. Dyfodol disglair. Yn y CID yn ifanc iawn. Ond doedd petha ddim yn dda adra. Methu cael plant. Yfad go drwm. Ac mi adawodd y cartra a'i wraig. Mi fuodd 'na lot o helynt. Mi gafodd loches efo plismones ifanc ar ddechra'i gyrfa."

Erbyn hyn roedd Idwal wedi delwi; yn methu symud wrth glywed hen stori oedd yn swnio'n gyfarwydd iawn.

"Yn anffodus, roedd hitha'n ferch i ddyn dylanwadol iawn yn yr Awdurdod a diwedd y gân oedd bod cyhuddiad difrifol yn erbyn y plismon a diwedd ei yrfa yn edrych yn anochel."

"Cau dy blydi ceg, Bob."

"O, na. Rŵan dw i'n dod at y darn diddorol, ti'n gweld. Roedd 'na rai yn credu 'i fod o'n cael cam... cam mawr. Ac mi ddaru'r Brodyr drefnu bod un neu ddau go ddylanwadol, os cawn ni ddeud, wedi mynd at y Prif a deud faint o'r gloch oedd hi wrth hwnnw. Ac yn wir, fe gafwyd cyfaddawd. Mi fu rhaid iddo fo symud, 'do, a gadael y CID. Mi ddaru o a'i wraig gymodi ac mae o rŵan ar fin ymddeol yn ddyn uchel 'i barch. A chwara teg iddo fo. Ond..."

Roedd llais Robert Hughes yn gadarnach bellach ac yn magu grym. "Ond fydda hyn ddim wedi digwydd oni bai bod rhywun... rhywrai... wedi gneud cymwynas efo fo... plygu'r rheola... doedd dim raid gneud dim... ond mi gafodd gymwynas, diolch byth. Ac, yn syml, dyna dw i'n gofyn i titha... cymwynas... un cyfla... gofyn i ti neud dim ydw i yn y bôn... yn y gobaith y dowch chi o hyd i pwy bynnag laddodd Debbie bach."

Syllodd Robert Hughes ar gefn llydan Idwal yn symud yn araf drwy'r drws. Anadlodd yn ddwfn, cau clawr y Beibl a'i osod yn ôl ar y silff. Agorodd ddrws y cwpwrdd gwydr a thywallt whisgi. Cerddodd at y ffenest a gweld goleuadau car y Sarjant yn llithro trwy'r adwy ac i lawr yr allt. Caeodd ei lygaid. Roedd wedi ymlâdd.

Pan gyrhaeddodd Idwal ei gartref sylweddolodd nad oedd yn cofio dim o'r daith o Dan-y-graig wrth i'w feddyliau chwyrlïo o un darlun a dadl i'r llall, yn un gybolfa ddireswm a llinellau ei hoff fardd yn clindarddach yn ei ben, 'fel gŵr ar ddyfroedd hunlle'n methu cyrraedd glan'.

Yr unfed dydd ar ddeg

WRTH I OLAU gwan y bore wthio'r nos i'r cysgodion yn araf cerddodd pedwar plismon cysglyd allan o'r orsaf am gar oedd yn disgwyl amdanynt. Y tu cefn iddyn nhw, wedi ei fframio gan ffenest ei swyddfa, a golau llachar y strip neon y tu ôl iddo, safai Idwal fel delw. Gwyddai mai newid shifft oedd y plismyn wrth i'r chwilio am y gŵr o Ddinas Quezon barhau. Fel Arwyn o Lidiart y Mynydd, roedd ei draed yn dal yn rhydd er mawr embaras i bawb neu, wrth gwrs, roedd y naill neu'r llall neu'r ddau, o bosib, yn gyrff bellach. Ond nid hynny oedd yn gyfrifol bod Idwal Davies ar bigau ac yn methu byw yn ei groen. Gobeithiai, ond ni ddisgwyliai, weld Bob Hughes yn cyrraedd i gyfaddef ei bechodau, os oedd y fath beth â phechod yn dal i fodoli yn yr unfed ganrif ar hugain.

Roedd wedi camu i'w gartref y noson flaenorol yn un gybolfa o emosiynau. Ond diolch i'r drefn, neu i ffawd, mae'n debyg, roedd Llinos yng nghanol cynnwrf rhyw ffilm boblogaidd. Bwytaodd ei fwyd mewn heddwch a phan ddaeth ei wraig i'r golwg ryw jin neu ddau yn hwyrach fe'i synnodd ei hun trwy ei diddanu'n egnïol gan adrodd stori Jane Griffiths, a'i chwaer, a'i thrwbwl *down below* a Raymond y gŵr diog. Chwarddodd Llinos fel y gwnâi ers talwm pan adroddai Idwal am gampau ei gleientau mwy lliwgar, ac aeth hithau i'w gwely yn fodlon ei byd.

Ond y bore hwn roedd yn dal yn yr un lle ac mewn caethgyfle. Byddai'n rhaid dweud wrth yr Arolygydd, doedd bosib? Na, doedd tystiolaeth Bob Hughes ddim yn mynd i ddatrys yr achos a doedd o ddim yn gyfrifol am ei lladd hi, efallai… ond ar y llaw arall… ar y llaw arall, beth? A'r gymwynas honedig? Roedd y profiadau poenus wedi eu claddu yn raddol dan fyw a bod y blynyddoedd, tan neithiwr… Pwy wnaeth achub ei gam? Nid Bob Hughes yn siŵr. Doedd y ddau ddim yn nabod ei gilydd ar y pryd. Ond sut y gwyddai am yr helynt? Cyn wynebu Lucy Green byddai'n rhaid dyfeisio rheswm neu esgus pam nad oedd wedi adrodd y wybodaeth ar ei union y noson flaenorol. Cafodd gyfle yn gynt na'r disgwyl. Agorodd y drws yn ddirybudd. Lucy Green oedd yno ac roedd hi ar frys.

"Sarjant. Rydw i yn mynd i HQ. Mae Scottie Doyle yn dechrau… 'canu'? Mae yn rhoi enwau pobol yn y dref mae Debbie yn *dealing with*. Mae Dave yn Wrexham. *It's very embarrassing.* Ti'n gwbod Chirk? Ydi o yn Gymru?"

Diolchodd Idwal am gwestiwn hawdd.

"Ydi. Y Waun. Cartre Billy Meredith."

"Pwy? Y… pam mae Arwyn yn mynd i Chirk? Dal trên mae o'n gwneud."

Cododd Idwal ei ysgwyddau i ddangos nad oedd ganddo'r un obadeia.

"O. ie. Mam Arwyn. Mrs…"

"Dilys."

"Mrs Dilys Jones. Ti'n gallu mynd i siarad gyda hi?" gofynnodd Lucy Green.

"A deud be?"

Edrychai'r Arolygydd yn anniddig a phoenus.

"Os mae hi yn gwrando… *no*… clywed o Arwyn… *she should*… dweud i ni. Dw i'n gwbod. Mae hi'n peth anodd. Ond mae gan ti'r geiriau."

"Mi wna i 'ngore."

"Wyt ti'n cael gwybod am teulu Llanrwst eto? *Probably irrelevant* ond ti byth yn gwbod."

Dyma'i gyfle, meddyliodd Idwal.

"Disgwyl galwad ydw i, unrhyw funud."

Wyddai o ddim a oedd ar fin dweud rhywbeth neu beidio ond trodd Lucy Green ar ei sawdl.

"Diolch, byddaf yn ôl *later on*."

Roedd y cyfle wedi ei golli. Yn annisgwyl, roedd Idwal wedi ei ddal, wedi baglu dros ei draed ei hun. Bellach, ei unig obaith oedd perswadio Bob Hughes i ddod i mewn. Ond roedd gan hwnnw bob rheswm i beidio. Go brin y câi'r cynghorydd faddeuant gan ei wraig, er bod pethau rhyfeddach wedi digwydd. A thybed na fyddai amryw o'i gydnabod gwrywaidd yn ei led-edmygu yn ddistaw bach fel tipyn o gi drain? Heb sôn am rai o ferched y clwb a fyddai'n fwy na balch o weld Gwerfyl, y wraig berffaith, yn destun sbort. Gallai ragweld mai fo'i hun fyddai'r cocyn hitio am fynnu gosod Bob Hughes yn y fath bicil. Bradwr, cachwr... doedd dim angen dychymyg i ddyfalu'r cyhuddiadau. Sut y cafodd o'i hun yn y fath dwll? Allai o ddim mentro cysylltu â Bob Hughes o'i swyddfa ei hun. Byddai'n rhaid i hynny aros. Syllai Idwal ar sgrin wag y cyfrifiadur pan dderbyniodd alwad. Gwraig y gweinidog o Gonwy oedd yno, Mrs Rodgers, gyda rhes o enwau a chyfeiriadau swyddogion gwahanol eglwysi yn y fro. Roedd y dyn wedi mynd i drafferth. Diolchodd yn llaes ac yna syllodd yn hir ar y dudalen orlawn gwbl ddiangen. Daeth cnoc gadarn ar y drws cyn i Reolwr Rhanbarth y Gorllewin gamu i mewn.

"Fyddi di'n falch o glywed 'yn bod ni 'di dal dy fêt o'r Philippines ac yn falchach fyth o weld 'y nghefn i."

"Lle dalioch chi o?"

"'Naethon ni ddim. Rhyw ddynas o Stiniog welodd o'n trio dal trên. Gweld o'n bihafio'n rhyfadd a golwg y diawl arno fo a mi riportiodd o. Ar y ffordd yno rydw i rŵan i'w hebrwng o i HQ. A gneud yn saff bod ni'n dal gafael ynddo fo tro yma."

"Llithro 'nes i. Chwe modfedd arall a 'swn i 'di'i daclo fo," meddai Idwal.

"Ie, ie, wn i. Chwarter canrif yn ôl, Id, ar ddwrnod da," a chwarddodd y ddau. "Unwath y cewch chi afal ar yr Arwyn bach 'na mi gawn ni de parti i ddathlu?"

"Mm. Os mai Arwyn ydi'n dyn ni, 'te."

"O! Be 'di d'enw di, Thomas, yr Amheuwr?"

"Be wn i, 'te. Dim ond sarjant bach dw i."

"Wel, dim dy broblem di ydi hi, naci?"

"Naci."

Ond fe wyddai Idwal yn iawn nad dyna'r gwir bellach. Hebryngodd ei gyfaill allan o'r swyddfa, ffarwelio a cherdded yn frysiog i ganol y dref i chwilio am giosg. Doedd rhif symudol Bob Hughes ddim yn ymateb a doedd ei swyddfa ddim yn ei ddisgwyl tan ddiwedd y prynhawn. Camodd Idwal allan a dod wyneb yn wyneb ag Edgar Prytherch yn rhuthro tuag ato.

"'Dach chi'n ffycin hoples!" bytheiriodd hwnnw, cyn bwrw ati i restru gwendidau Heddlu Gogledd Cymru gan gloi gyda'r geiriau, "Ac am y Lucy bach 'na, 'sa Lucille Ball 'di gneud llai o lanast. Hi a'r lari Dave Van Dyke bach." Ac i ffwrdd ag o a'i sgarff hir a'i gôt yn cyhwfan o'i gylch.

Cyrhaeddodd Idwal ddiogelwch cymharol ei swyddfa gan weddïo na ddychwelai Lucy Green yn rhy fuan. Syllodd ar y manylion a'r cyfeiriadau yn Nyffryn Conwy. Doedd ganddo ddim dewis ond eu cyflwyno i'r ditectif brwd yn y llofft. Gyda lwc byddai hwnnw allan ar ryw berwyl.

Ond ofer fu'r gobeithio wrth i DC Pritchard gipio'r rhestr fel morlo yn neidio am bysgodyn. Roedd pob cam bellach yn arwain Idwal yn ddyfnach i'r gors. Crwydrodd draw at Sion Gwyn. Doedd hwnnw ddim yn gobeithio gormod am Doyle.

"Mae'n o'n mynd i ddeud be mae o'n feddwl 'dan ni isio clywed. Cofia, mi fedar ddod ag enw newydd i ni... rhywun annisgwyl. Medrwn fyw mewn gobaith."

"Be mae Dave da yn Wrecsam?"

Chwarddodd Sion Gwyn. "Rhoi meri hel i gopars Wrecsam, 'swn i feddwl. Hei, sbia ar hwn." Ymddangosodd dogfen ar sgrin y cyfrifiadur; adroddiad manwl ar ddamwain Arwyn yng Nglyn Ceiriog.

"Hwn, yli," gan gyfeirio at adran oedd â ffotograffau ynghlwm. "Cyn iddo fo hitio'r wal, does dim arwydd o sgidio o gwbwl. Dim marc o fath yn y byd."

"Syrthio i gysgu," cynigiodd.

"Neu mi yrrodd i'r wal 'na yn gwbwl fwriadol."

"Sy'n awgrymu be?"

"Os driodd o ladd 'i hun a methu, beryg bydd o'n trio eto. Pam? Wel, pwy a ŵyr."

"Sut ddaru o ddengid?"

Rowliodd Sion Gwyn ei lygaid a gwneud dwy swigen gyda'i fochau. "Plismon ifanc, newydd glywed ogla ar 'i ddŵr ac wedi ffansïo ryw nyrs bach. Mi aeth i drio'i lwc lawr y coridor ac mi aeth Arwyn y ffor' arall trwy'r drws tân."

"Mae'n *write-off*, debyg. Y fan."

"Ydi. Da i ddim. Partie, 'wrach. Fuodd y Glyn 'na yn 'i chasglu hi ddoe."

Moelodd Idwal ei glustiau ond ddywedodd o ddim.

"Wst ti be?" Ymresymu â fo'i hun oedd Sion Gwyn yn ei

gadair. "Rhwng y wal a chdi a fi mae hyn. Methu dallt dw i pam bod neb wedi cario corff yr hogan 'na i'r fynwent. I be? Mae'n gneud mwy o sens 'i bod hi yno'n barod, tydi hi ddim? 'Ta fi sy'n mwydro?"

"Mi fuon ni trw'r lle efo crib fân."

"Do, ond ro'dd hi 'di rhewi'n gorn a'r ddaear fel haearn Sbaen, toedd."

"Be fase neb yn 'i neud mewn mynwent ar noson oer fel honno? Paid ag ateb."

Trodd i adael.

"Sarjant Davies, jest eiliad, os ca i."

DC Pritchard y plismon brwd oedd yno. Roedd yn dod amdano â'r darn papur yn darian yn un llaw a beiro arian fel cyllell yn y llall.

"Y rhestr 'ma. Mae'n grêt. Jest un peth bach. Be 'di'r... llythrenna 'ma... Mae gynnoch chi ddau 'bi', tri 'em', pedwar 'a' ac un 'dybliw'."

Gwenodd Idwal yn glên. "Enwade."

Syllodd Pritchard yn ddiddeall.

"Enwadau gwahanol," ychwanegodd.

Llyncodd Pritchard yn galed. "Sori?"

"Bi. Bedyddwyr. Em. Methodistiaid. A. Annibynwyr ac 'W' Wesleaid."

Roedd y ditectif mewn niwl. "Fatha Catholics... a Jehovas."

"Ie... a nage." Yn sydyn cafodd Idwal syniad. "Anghofia fo. Dechreua efo'r 'Bis', wedyn yr 'Ems', wedyn yr 'As' a darfod efo'r 'W'."

"Pam?"

"Mae bywyd yn rhy fyr i mi ddechre egluro, Pritchard, taswn i'n medru. Bi, Em, A, W. Yn y drefn honno. Pob lwc." Pe bai o wedi taflu cilolwg yn ôl mi welsai un ditectif yn rhythu mewn penbleth ac ysgwyddau un arall, Sion Gwyn, yn ysgwyd yn ddilywodraeth.

Ond roedd ganddo bethau eraill ar ei feddwl; gormod ohonyn nhw. Pe bai gallu'r Pritchard bach 'na yn cyfateb i'w frwdfrydedd ni fyddai cyfrinach Bob Hughes yn aros yn gyfrinach yn hir iawn. Yna, roedd dirgelwch diflaniad Arwyn. Os gwyddai unrhyw un am lochesi diarffordd yn y gogledd, Glyn Williams oedd hwnnw. Ni fyddai dim yn rhoi mwy o bleser iddo na chreu embaras a mwy i'w hen elynion yn y ffôrs. Y syndod i Idwal oedd na theimlai unrhyw reidrwydd i adrodd am ei amheuon wrth neb. Dau beth yn unig oedd yn pwyso arno a phenderfynodd daclo'r cyntaf yn ddiymdroi er mwyn osgoi'r ail.

Wrth yrru i fyny'r cwm ceisiodd lunio'i neges mewn ffordd a fyddai'n dderbyniol i Dilys Jones, ond crwydrai ei feddyliau yn ôl i argyfwng mawr ei fywyd; roedd y siom o fethu cael plant, y cweryla milain a'r yfed direol yn un hunllef a sigodd Llinos ac yntau. Er bod creithiau yn aros, perthyn i'r gorffennol a bywyd arall roedd hynny bellach. Roedd yn ymwybodol bod y Brodyr wedi pledio'i achos, rhywsut, rhywfodd, ond wnaeth neb edliw hynny iddo. Tan neithiwr. Roedd wedi ymuno, am mai dyna oedd plismyn ifanc uchelgeisiol yn ei wneud. Roedd fel polisi yswiriant. Blacmel moesol oedd hyn. Dim byd arall. Ond allai o ddim gwadu nad oedd rhywun wedi gwneud tro da efo fo.

Ger y fynedfa i'r ffordd drol a arweiniai at Lidiart y Mynydd roedd car heddlu wedi ei barcio. Stopiodd i dorri gair cyn teithio yn ei flaen ar hyd y llwybr anwastad. Doedd o ddim yn disgwyl croeso gan Dilys Jones, a chafodd o mo'i siomi.

"Newyddion drwg sgynnoch chi?"

Rhoddodd y sicrwydd nad felly roedd hi, ond bu'n rhaid

iddo ei wahodd ei hun i mewn ac ni chafodd gynnig paned o de. Wrth fwrdd moel y gegin y bu'n awgrymu pe byddai Arwyn yn cysylltu mai ildio i'r awdurdodau oedd y peth callaf iddo'i wneud. Ni fu unrhyw sôn am ddweud y gwir. Doedd gan Dilys Jones fawr i'w ddweud ond cyn i'r sgwrs unochrog ddod i ben dywedodd,

"Dw i'n ofni amdano fo. Allan mae o'n licio bod. 'Sa pedair wal yn 'i ladd o... a finna."

Pan gamodd Idwal o'r tŷ, syllai'r defaid Cymreig stond yn ddisgwylgar arno o gae llwyd a llwm lle lluwchiai'r eira sych yn gymylau fel blawd o'r mynydd. Daeth car at y clos a'i olau ymlaen. Dim ond ar y funud olaf yr adnabu'r gyrrwr wrth iddi gamu allan. Anadlodd yn ddwfn.

"Gwerfyl," gan wisgo gwên fenthyg. Oedd hi'n edrych yn gyhuddgar ynteu ei ddychymyg oedd ar waith?

"Unrhyw newydd?"

"Na."

Safai yno ac un llaw ar ddrws y car yn ei chagŵl Berghaus coch ac am eiliad edrychai yn ansicr a phetrusgar.

"'Di bod yn siopa iddi. Ofn mynd allan, peth bach." Camodd at gefn y car, estyn y bagiau a chau'r drws â'i throed. "Meddwl bod pawb yn siarad amdani." Edrychodd i lygaid Idwal a sibrwd, "Gobeithio'r gora, felly."

Edrychodd arni'n camu'n sionc i fyny'r rhiw er gwaetha'r bagiau gorlawn. Diolchodd yn dawel nad oedd yn sefyll yn esgidiau Bob Hughes. Roedd caddug wedi cau am y fro erbyn iddo gyrraedd y dref a sylwodd fod cerbyd y cynghorydd wedi'i barcio ar linellau melyn y tu allan i'w swyddfa. Parciodd ei gar wrth ymyl y car du a brasgamu i'r adeilad. Chafodd y dderbynwraig ddim cyfle i'w rwystro a dringodd y grisiau i swyddfa'r cyfrifydd.

Clywodd gloch ffôn yn canu a llais Robert Hughes. Agorodd y drws. Y tu ôl i ddesg fawr hynafol eisteddai'r cyfrifydd. Yr unig olau yn yr ystafell oedd lamp bres a daflai olau llachar ar y dogfennau roedd wrthi yn eu harwyddo. Ar wahân i'r lamp, y ffôn a'r dogfennau doedd dim byd arall ar y ddesg. Roedd y lle yn tystio i drefn a thaclusrwydd y perchennog.

"Mae'n beth poléit i gnocio cyn agor drws, Idwal."

"Lle ddiawl ti 'di bod? Ddudist ti..."

"Addewish i ddim byd. Stedda." Cyfeiriodd at gadair esmwyth rhyw ddwy lath o'r ddesg.

Safodd Idwal yn ei unfan.

"Plesia dy hun. Dw i wedi bod mewn cyfarfod grŵp cynghorwyr. Trafod y busnes cau ysgolion 'ma neu'r cynllun ad-drefnu fel maen nhw'n 'i alw fo. Fel ti'n gwbod, 'wrach, dw i 'di bod yn amddiffyn yr ysgol acw ar hyd y beit, a mi wna i eto, os ca i gyfla. Ond dw i'n medru cyfri a bydd rhaid wynebu realiti yn hwyr neu hwyrach a derbyn bod newid i ddod. Ond doedden nhw ddim am wrando..."

"Wel, gwranda di arna i'r diawl bach..."

"Araith, Idwal, araith. Ti 'di deud wrthyn nhw? Amdana i?"

Safodd Idwal yn fud.

"Wel, diolch i ti. Diolch yn fawr."

"Ches i ddim cyfle..."

"Wel, mi fydd rhaid i ti esbonio hynny iddyn nhw, bydd? Pam bod ti wedi peidio deud. Dw i'n ddiolchgar wrth reswm. Dwn i'm sut byddan nhw'n gweld y peth... titha ar fin ymddeol."

Llyncodd Idwal yn galed a symudodd draw at y gadair gefnuchel am ddiogelwch o fath.

"Ma rhaid i ti ddod mewn, Bob. Mi ffindian nhw chdi. Mae plismyn wrthi yn Llanrwst yn holi rŵan."

Roedd y distawrwydd yn ormesol yn yr ystafell dywyll. Tynnodd Robert Hughes ei sbectol a'i gosod yn ofalus wrth ochr ei bapurau a rhwbio ei lygaid yn flinedig. Y tu ôl iddo, wrth i lygaid Idwal gynefino â'r tywyllwch, uwchben seff fawr hen ffasiwn gwelai lun olew mawr o Lloyd George yn areithio, yn ei lawn hwyl.

"Dipyn o dderyn." Roedd y cyfrifydd wedi sylwi. "Sgemiwr, sgamiwr, oedd... ond y fo dda'th â phensiwn am y tro cynta i'r werin dlawd, ynte? Ti'n deud felly'ch bod chi'n rhy ddi-sut i ddal y llofrudd, pwy bynnag ydi o? Dw i ddim yn mynd i ailadrodd fy hun. Os wyt ti isio chwalu 'mywyd i i ddim pwrpas, gna dy ddyletswydd."

"Mae 'na hogan yn gorff, Bob."

"Oes. Ac ro'n i'n... ffond iawn ohoni... sy'n beth rhyfadd i ddeud. Ond dw i'n gwbod dim sy'n mynd i'ch helpu chi. Dim. Felly, i be?"

"Does arna i ddim i chdi, Bob. Dim. Beth bynnag ddigwyddodd bryd hynny."

"Ti'n deud... Do'n i'm am wneud y peth yn bersonol ond dwyt ti ddim yn gadal llawar o ddewis i mi, 'ŵan. Pan soniais i neithiwr am y rhai... y Brodyr, aeth i bledio dy achos di at y Prif, wnes i'n fwriadol osgoi deud sut y digwyddodd hynny. Ro'n i 'di sefydlu 'musnes ac wedi etifeddu amryw o gleients yr hen Dwalad. Yn eu plith roedd teulu Gerddi Gleision, hen bobol nobl, pobol â gwaelod iddyn nhw. Ti'n nabod y mab, Aled, wedi dechra efo ti, yr un flwyddyn, yn y ffôrs. Roeddach chi'n dipyn o fêts, medda fo. Ddoth ata i i bledio dy achos."

Roedd ceg Idwal yn sych grimp a llygaid Bob Hughes yn sefydlog arno bellach.

"Ro'n i'n gynghorydd ifanc ar hen Gyngor Meirionnydd jest cyn yr ad-drefnu. Do'n i'n nabod neb a doeddwn i ddim mewn sefyllfa i helpu dim arno fo. Ond roedd rhaid gneud rwbath, o barch at y teulu. Felly, mi es at un o hoelion wyth y Cyngor; dyn oedd yn nabod pawb ac yn gwbod be oedd be. Toedd ganddo fawr o ddiddordab a deud y gwir nes iddo fo glywad pwy oedd teulu dy fam… roedd 'na ryw gysylltiada… rhyw gydnabod… ac mi addawodd wneud 'i ora. Mi fynnodd gael y manylion i gyd. Mi fu raid i minna dyrchu a holi. A chwara teg iddo fo, mi gadwodd at 'i air. Doedd dim rhaid iddo fo… a doedd dim rhaid i minna. Ti pia'r dewis." Ailgydiodd yn ei sbectol a chodi ei feiro. "Dos, rŵan. Neu mi fydda i'n hwyr i swpar."

Doedd dim rhagor i'w ddweud. Trodd Idwal i adael pan ddaeth llais Bob Hughes,

"A tra wyt ti ar gefn dy geffyl moesol, 'nest ti feddwl erioed be ddigwyddodd i'r hogan bach 'na adewist ti? Sut fywyd gafodd hi wedyn? Pob dim â'i ganlyniada… 'Sa well i ti beidio gwbod, 'wrach. Cau'r drws ar d'ôl os 'nei di."

Am yr ail noson yn olynol dyn dryslyd ei feddwl gyrhaeddodd ei gartref uwchlaw'r môr y noson honno; dyn wedi ei lorio. Yn anffodus o'i ran o, roedd Llinos wedi paratoi bwyd iddo a gwnaeth ei orau i lenwi'r amser gyda phigion o ddigwyddiadau'r dydd cyn i'r sgwrs gloffi. Gwrandawodd hithau a sylwi arno'n gwthio'r bwyd o gylch ei blât.

"Dw i wedi arfer efo ti'n deud 'chydig, Id, neu ddeud dim. Ond dw i'n gallu dy ddarllen di fel llyfr. Ti am ddeud wrtha i neu dw i fod i gesio?"

Syllodd ar y bwyd yn oeri ar ei blât ac yna, yn ddigon di-lol, adroddodd ei stori. Am yr Elliots a theulu Harlech a Llanrwst, sut y tynnwyd Robert Hughes i mewn trwy'r berthynas annisgwyl gyda'r ferch a laddwyd a bellach ei ddyled ei hun iddo; eu dyled ill dau efallai, a'i ddilema. Soniodd o ddim am y ferch ifanc y bu'n cyd-fyw â hi nac am sylw awgrymog Bob Hughes amdani. Erbyn iddo orffen roedd gweddillion eu prydau wedi mynd yn angof. Estynnodd Llinos ei llaw a'i gosod ar gefn un ei gŵr.

"Cofia un peth. Chdi a fi, neb arall, ddaru fendio'r berthynas yma. Chdi a fi. Nid Bob na neb arall. A dw i'n falch. Do'dd hi ddim yn hawdd, dw i'n gwbod… i'r un ohonon ni. Dydi hi ddim yn hawdd." Cododd a dechrau tacluso wrth hel ei meddyliau. Trodd i edrych ar ei gŵr a syllai fel delw i unlle. "Tan heno, 'swn i 'di deud bod Bob yn ŵr bonheddig. Byswn. Ond ma'n rhaid iddo fo dderbyn 'i gyfrifoldeb, toes, Id?"

"Mi wnath dro da efo fi, 'do."

"Fedrwn ni ddim newid be ddigwyddodd, Id." Caledodd ei llais. "Mae gen tithe gyfrifoldeb at y lodes fach 'na. Ti'n gwbod yn iawn be i neud. Paid â'n siomi i… paid â'n siomi, Id." Gadawodd yr ystafell a'i hwyneb fel y galchen. Edrychodd Idwal ar y llanast ar ei blât. Nid apêl oedd geiriau Llinos ond bygythiad. Roedd chwalfa yn disgwyl Bob Hughes, neu Idwal. A doedd dim dihangfa ddiogel iddo fo'i hun y naill ffordd na'r llall. Am y gorffennol, roedd hwnnw'n fyd arall.

Gyda bysedd anfoddog ac yn fodiau i gyd anfonodd neges at Bob Hughes. Diffoddodd ei ffôn.

Yn ei wely y noson honno, ac yntau'n gwrando ar y gwynt yn hisian trwy nodwyddau'r coed pin Albanaidd y tu allan, sylweddolodd Idwal ei fod, heb yn wybod iddo'i hun, wedi adrodd ei stori wrth Llinos fel pe bai'r cyfan wedi digwydd yn swyddfa Bob Hughes y noson honno. Doedd o ddim wedi dweud celwydd ar y llaw arall, cysurodd ei hun.

Y deuddegfed dydd

Roedd goleuadau'n llosgi'n gynnar iawn yn swyddfa Lucy Green wrth iddi hi a'i thîm ddidoli'r enwau a offrymwyd gan 'Scottie' Doyle fel rhai gyda chysylltiadau â Debbie 'Harry'. Trefnwyd i holi rhai yn eu cartrefi. Roedd eraill i'w galw i'r swyddfa i helpu'r ymchwiliad. Byddai'n destun siarad am wythnosau yn yr ardal wrth i ambell enw annisgwyl wynebu cwestiynau. Yn dilyn apêl ar y cyfryngau daethai galwadau niferus am Arwyn gan bobl yn honni iddynt ei weld ar hyd ac ar led. Byddai'r gwaith o hidlo'r maleisus a'r gwirion yn cymryd dyddiau ac o bosib yn fwy o hindrans na'i werth.

Yn ei swyddfa roedd sicrwydd y noson gynt wedi troi'n amheuaeth a bwysai'n drwm ar Idwal; Aled, ei hen fêt annwyl na fyddai'n ei weld ond yn achlysurol ac a gadwodd y gyfrinach am yr holl flynyddoedd. A beth bynnag oedd Bob Hughes, fe gadwodd yntau at ei air ond roedd bellach yn wynebu chwalfa bersonol. Ac i ba ddiben? Yr unig ddarn o wybodaeth berthnasol, hyd y gwelai Idwal, oedd yr arian a roddodd i Debbie y noson honno. Beth ddigwyddodd i hwnnw? A heb dystiolaeth Robert Hughes byddai'r *motive* hwnnw yn aros yn guddiedig. Na, doedd dim dewis. Eisteddodd, edrychodd ar ei watsh, cododd eto. Roedd arno ofn, ofn gwirioneddol, a doedd dim dianc beth bynnag a ddigwyddai.

Am hanner awr wedi naw, a dim golwg o'r cynghorydd, deialodd ei rif. Dim ateb. Cerddodd yn araf i fyny'r grisiau i swyddfa Lucy Green fel oen i'r lladdfa. Wrthi'n paratoi i gyfweld rhai o gleientiaid Debbie oedd hi ac amser yn pwyso.

"Yn cyflym iawn, Sarjant. Diwrnod prysur..."

Dechreuodd Idwal ragymadroddi am yr ymchwiliad i deulu'r Tomosiaid.

"Get to the point."

Trodd y ddau eu pennau wrth glywed cynnwrf a thrafod brwd y tu allan. Agorwyd y drws gan Sion Gwyn.

"Sori am hyn, Ma'am. Carys sy newydd gael gwybodaeth, 'wrach, fydd o ddiddordab..." ac edrychodd ar Idwal. Camodd yr ysgrifenyddes i'r ystafell.

"Huw sy newydd ffonio o draeth Morfa Bychan. Mae car y Cynghorydd Robat Hughes 'di bod yno ers dwy awr yn ôl un o'r trigolion, Mr... Harrison... mi welodd hwnnw fo'n cered draw am y creigia bora 'ma a ma'r llanw 'di troi."

Roedd y Dirprwy ar goll. "Ydi hwn yn... perthynas i...?"

Eisteddai Idwal fel delw gan syllu ar y llawr. "Ym... mi fetse fod... ga i fynd i weld be sy'n digwydd... rhag ofn?"

Ateb diamynedd gafodd o ond o fewn munudau roedd Idwal yn gyrru draw am draeth y Greigddu a'i feddwl yn chwil. Gadawodd y car wrth y fynedfa i'r traeth a throi i'r dde draw tuag at y cerbyd du oedd â'i gefn at y twyni. Daeth PC Huw Owen tuag ato gan rowlio'i lygaid.

"Hwn 'di'r dyn welodd Bob Hughes bora 'ma, Sarj. Esh i heibio'i gartra i'w nôl o. Meddwl basa'n haws esbonio be welodd o yma ar y traeth."

Cerddodd stwcyn byr, canol oed mewn tracwisg Adidas a siaced tuag atyn nhw.

"Hi Sergeant..."

"This is Mr..."

"Harrison... Toby. I live in Morffa, me and my missus, been 'ere eight years. Lovely place, home from home like."

"Right, Mr Harrison, what did you see?"

"Well, it might be something or it might be nothing, you know."

"We'll be the judge of that," a gwenodd wrth glywed y tinc diamynedd yn ei lais ei hun.

"Yeah, well, I comes 'ere every morning to take the dogs for a walk, Golden Retrievers they are, very lively. Anyway, it's about half seven, still gloomy, we walk up to the rocks and after we turn I see the black four by four standing here. Bit early for cars, I think. Then I spots this man walking towards the sea, towards where the caves are. He's a good hundred yards away. I remember thinkin' there was someffing odd. He's walking as if he's goin' somewhere, you know, and he has someffing under 'is arm. And then I spots it, it's his coat. It's freezin' cold, of course, and he's wearing a three quarter coat like… well, as if he was goin' to… I dunno, church or a wedding. Smart like. Anyways, I go home, tell the missus and later on when we're 'avin' a *panad*… I am pickin' it up, you know… I mention it again and she tells me to stop banging on about it and if I'm that bloody worried to go and check up on 'im. So I comes back, I sees the car and by now, the tide's turned and no sign of the ol' man. So I ring up… dunno if I did right, but…"

"Thanks, Mr Harrison. Very grateful."

"Do you want me to come and make a statement or somat?"

"Not now. We'll be in touch. Thanks. *Diolch*. By the way, the letter 'f' in Welsh, it's pronounced 'v'. Like 'of' in English. So it's Morfa. Just to help you along with your studies. Thanks again."

Cerddodd Idwal draw at y car du a cheisio gweld trwy'r gwydr lliw mwg. Ar sedd y gyrrwr gorweddai amlen.

Gofynnodd i Huw edrych a cheisio dehongli'r enw.

"Gn neu Gw... efyl?"

"Gwerfyl." Edrychodd draw at y creigiau a'r llanw a oedd bellach yn prysur adennill y tywod gwastad. Roedd yn dechrau cyffio.

"Ffonia am gwch achub Cricieth i ddod allan at y Greigddu i chwilio am ddyn deg a thrigain wedi'i wisgo'n smart, ar y creigiau neu yn y dŵr. Drefna i gael 'chydig o blismyn i gerdded y clogwyni."

"Hofrenydd, syr?"

"Na. Ga'n ni weld..."

Deialodd rif cartref y cynghorydd a'i fysedd yn crynu. Yn bwyllog esboniodd y sefyllfa wrth Gwerfyl.

"Ro'n i'n methu dallt lle oedd o 'di mynd mor fora."

"Ddaru ti 'mo'i weld o?"

Bu rhai eiliadau o ddistawrwydd.

"Naddo. Yn y cefn mae'n stafall i. Ddo i â'r goriada sbâr lawr rŵan."

Roedd amheuon y bore wedi troi'n hunllef wrth i Idwal geisio deall goblygiadau'r hyn oedd yn digwydd. Gwelai'r môr yn llifo ato'n ddiarbed dan y mân donnau. Ymhen hanner awr cyrhaeddodd Gwerfyl Hughes yn edrych yn rhyfeddol o hunanfeddiannol.

"Be sy wedi digwydd?"

Adroddodd Idwal stori'r bore gan gadw'n glir o'r sgyrsiau fu rhyngddo a Bob Hughes.

"Mae amlen yn y car i chdi."

Agorodd ddrws y car a gafael yn yr amlen. Synhwyrodd fod mwy nag un eitem yno a gweld bod amlen arall drymach a'i enw ef ei hun arni oddi tanodd. Pwyllodd. Roedd drws y car rhyngddo ef a Gwerfyl. Trodd a chyflwyno'r llythyr iddi gan lithro'r llall i boced ei siaced. Agorodd hithau'r amlen a darllen y nodyn yn y fan a'r lle. Cododd ei golygon at y Sarjant.

"Be mae o wedi'i neud?... Mae o'n ymddiheuro ond 'di o'm yn deud am be." Daeth rhyw amheuaeth i'w hwyneb. "Rhyw fath o lythyr caru ydi o, un blêr... allan o bractis." Yna caledodd ei llygaid fel pe bai'n cofio rhywbeth. "Ydi hyn rwbath i neud â'r hogan 'na?... Ddudis i wrtho fo am gadw'n glir o'r tŷ 'na, ond wnâi o ddim gwrando." Doedd dim rhaid gofyn dim. Roedd Gwerfyl am ddweud ei dweud. "Ddudodd o pam 'i fod wedi prynu'r tir gan y Bryn 'na? Be ddudodd o?"

"Cymwynas i hen fêt."

"Ia, mwn. Dim fel'a roedd hi. Bryn oedd wedi bod yn cega arno fo yn 'i gefn, deud wrth bawb bod o'n gneud dim i'r lle 'cw. Pluo'i nyth. *The usual*. Bygwth sefyll yn 'i erbyn o. A pwy a ŵyr, dyddia yma, na fasa fo wedi llwyddo. Ond mi welodd Bob ei gyfla. Lladd dau dderyn. Cael Bryn allan o dwll dwfn a rhoi caead ar 'i bisar o 'run pryd. 'Nesh i bledio arno fo beidio. Peidio bychanu 'i hun. Ond roedd o'n mynnu... A rŵan, hyn."

Trodd hithau i edrych draw at y Creigiau Duon a llenwodd ei llygaid. Ond ni lifodd yr un deigryn i lawr ei boch.

"Ga i gadw'r nodyn? Mi cei o 'nôl."

Estynnodd Gwerfyl y llythyr iddo heb air o brotest.

"Doedd o ddim yn ddyn drwg, sti. Cofia fi at Llinos," sibrydodd wrth droi am y car.

Aeth ias o banig drwyddo.

"Trefna i fynd â hwn i'r swyddfa, rhag ofn bydd rhywun isio cael golwg arno fo," a thaflodd y goriad at Huw a brasgamu am ei gar ei hun. Gyrrodd yn gyflym drwy dir llwyd y brwyn a'r eithin gan anelu am eglwys ar fryn uwchben y traeth. Trodd y gwresogydd i Max gan obeithio cael y gwaed i lifo'n ôl i'w fysedd. Doedd dim angen chwilio. Gwelai Llinos yn ei chwman ger y bedd yn sychu wyneb y garreg goffa fach ddu.

"Mae'n ddrwg..."

Cododd hithau ei llaw i'w dawelu. Roedd yr awel yn hyrddio'n oer a chymylau'n ymgasglu y tu hwnt i grib ddanheddog y Rhinogydd. Oddi tano roedd y tonnau'n chwalu ar erwinder trwyn y Greigddu. Penliniodd wrth ochr ei wraig.

"Un waith y flwyddyn, dim ond un waith..."

Brathodd ei dafod ac edrych ar yr enw.

'Eira Rhiannon Davies a hunodd yn dri mis oed.'

"Fydda i'n trio peidio... ond unweth yn y pedwar amser mi fydda i'n meddwl be fyse hi'n neud bellach. Gwirion, dw i'n gwbod." Tynnodd y cadach dros wyneb y garreg lân. Pwysodd ei phen yng nghesail ei gŵr a daeth y dagrau i lygaid y ddau. Doedd dim i'w ddweud. Casglodd Llinos y cadach a'r dŵr sebon a chododd ar ei thraed.

"Lle fuest ti, 'te?"

Doedd o ddim wedi rhagweld y cwestiwn. "Gwaith... rhywun ar goll."

"Neb 'den ni'n nabod?"

Llyncodd Idwal yn galed. "Bob. Bob Hughes."

Roedd sgrechian digywilydd y gwylanod uwchben yn llenwi'r awyr.

"Gwerfyl druan."

"Ddo i adre hefo ti. Paned. Dw i angen dadmer." Roedd o angen amser i ystyried hefyd. Teimlai'r amlen yn ei boced a stopiodd y car cyn cyrraedd ei gartref a'i rhwygo'n agored. Teclyn recordio bychan oedd yno a nodyn.

'Hen arferiad gen i ydi recordio cyfweliadau efo cleients, yn enwedig rhai fedra i ddim ymddiried ynddyn nhw. Dyma chdi a fi echnos i ti gael ei roi i dy fòs i brofi dy fod yn was triw a ffyddlon iddi hi, os nad i gyfaill. Ti biau'r dewis.'

Yn ôl yn y tŷ cafodd baned, cafodd gynhesu a chyfle i adrodd fersiwn o hanes y bore. Cafodd faddeuant o fath, ond nid felly Bob Hughes.

"Doedd o ddim yn ddigon o ddyn i wynebu be nath o."

Derbyniodd neges ar ei ffôn a gadawodd i ddychwelyd i'r traeth. Roedd hi bron yn benllanw bellach. Safai ambiwlans yn cefnu ar y dŵr a cherbydau gwylwyr y glannau, yr heddlu a'r Cyngor Sir o'i gwmpas a chriw yn syllu allan ar gwch achub yn dynesu. Cariwyd y corff llwyd i'r lan yn diferu. Coler a thei, côt fawr â choler felfed ac esgidiau yn sgleinio yn yr haul. Dewisodd Robert Hughes fynd i gyfarfod â'i Greawdwr yn ei ddillad parch. Roedd hyn yn cymhlethu pethau ac yn eu symleiddio yr un pryd. Dim ond y fo, Idwal, wyddai bellach pwy ddywedodd beth a phryd.

Doedd fawr o dempar ar yr Arolygydd. Yn ôl Sion Gwyn doedd cyfweliadau'r bore heb ddatgelu dim, ond wedi codi gwrychyn digon. Esboniodd Idwal wrthi sut yr aethai ar ofyn Robert Hughes am help i chwilio am y teulu, a'i fod wedi galw yn ei swyddfa y noson gynt a derbyn y newyddion am ei berthynas gyda Debbie. Gan nad oedd yr Arolygydd yn y swyddfa barnodd y byddai'n dderbyniol clywed tystiolaeth Robert Hughes yn y bore. Roedd y cynghorydd gartref pan ddigwyddodd yr ymosodiad, felly, doedd dim drwg mewn oedi. Wrth gwrs, doedd Mr Hughes ddim yn awyddus i ddod i mewn o gwbl. Yr holl amser teimlai Idwal bwysau'r recordydd yn ei boced.

Edrychai Lucy Green arno yn ddifynegiant. Bu'n holi'n ddyfal. Pam fod Robert Hughes mor barod i ddatgelu ei gyfrinach? A pham datgelu wrtho fo, Idwal? Sylweddolai ei fod ar dir peryglus, a chyfaddefodd fod Robert Hughes yn ceisio dwyn perswâd arno i ddal yn ôl ar ei ymchwil am y cyswllt teuluol gan ddadlau na wyddai ddim oll am farwolaeth y ferch.

"A ti'n... credu fo?"

"Wel, roedd o adre'r noson honno."

"Sut ti'n... gwbod hyn?"

"Ei wraig, Gwerfyl, ddudodd. Roedd o'n gwylio *Match of the Day.*" Dangosodd ei neges destun yn siarsio Bob Hughes i bresenoli ei hun yn y swyddfa trannoeth.

"You should have informed me."

Daeth cnoc ar y drws yn achubiaeth dros dro. Dave oedd yno a golwg arno fel pe bai rhywun wedi dwyn ei uwd. Yn ei law roedd rhywbeth mewn bag plastig clir. Gosododd ef yn ofalus ar y bwrdd.

"Nokia 5160 glas. Dim *charge.* Yn *glove compartment* car Robert Hughes."

Syllodd y Dirprwy ar y pecyn am amser maith wrth iddi ystyried arwyddocâd y darganfyddiad.

"Fel ffôn Debbie? Ond ti ddim yn nabod?"

"Ie. Ac fel ffôn Debbie mae 'na grac bach ar y ffenest fel y disgrifiodd Mark i ni," meddai Dave.

Roedd Sion Gwyn wedi llithro'n dawel i'r ystafell ac wedi cau'r drws. O'r pecyn ar y bwrdd symudai ei llygaid at y darlun o Debbie a'r enwau eraill o'i chylch ac yna yn ôl.

"Sut? Pam? Pryd?" holodd y Dirprwy yn araf.

Wrth weld ei ddamcaniaeth am Arwyn yn dadfeilio o flaen ei lygaid tro Dave oedd llyncu mul. Daeth Sion Gwyn i'r adwy fel arfer.

"Hughes, felly, oedd yr ola i weld Debbie'n fyw. Mi fasa'r ffôn yn profi bod y ddau yn cysylltu â'i gilydd ac yn dystiolaeth ddamniol. Pam ddiawl ddaru o 'i gadw yn y car sy'n gwestiwn arall."

"Pam mae'n lladd hi? A pryd?"

Trodd ei golygon ar Idwal gan syllu arno'n ddyfal cyn gofyn, "Mae Mr Hughes yn y tŷ trwy'r nos… rwyt ti'n ddweud?"

Llyncodd a cheisio rheoli ei lais.

"Dyna ddalltis i gan Gwerfyl. Pan ddechreuodd *Match of the Day* mi a'th i'w gwely, medde hi, ac mi ddoth ynte i fyny wedi i'r rhaglen orffen."

Sylweddolodd Idwal mai fo erbyn hyn oedd cynrychiolydd Bob Hughes ar y ddaear yng ngolwg y triawd o'i gwmpas.

"Be o'n i ddim yn wbod tan heddiw ydi bod nhw'n… doedden nhw ddim… yn rhannu llofft. Felly, welodd hi mono fo y noson honno, os ydi hynny'n gneud gwahaniaeth. Ac mae'n debyg y base fo 'di medru sleifio allan yn ystod y rhaglen."

"Pam?" Roedd y Dirprwy fel ci ag asgwrn.

"'Wrach bod rhywun wedi 'u gweld nhw… a…" Roedd Dave yn benderfynol o gadw Arwyn yn y ffrâm.

"Mae 'na esboniad arall," awgrymodd Sion. "Bod rhywun arall wedi gosod y teclyn yng nghar Robert Hughes… i daflu'r bai arno fo."

"Ond rydyn ni wedi colli'r tyst sy'n gallu dweud wrth ni beth sy yn wedi digwydd." Cyfeiriodd Green y sylwadau yn union at Idwal. "*Okay.* Rydw i eisiau amser i meddwl. Ti'n tsiarjio'r batri a byddwn yn cyfarfod yn… mewn awr."

"'Di o'm yn gneud sens i mi," sibrydodd Dave wrth adael yr ystafell.

Dilynodd Idwal Sion Gwyn at ei gyfrifiadur.

"CCTV y dre 'ma. Dau gamera. Chwilia am gar Bob Hughes ar y nos Sadwrn rhwng tua deg munud wedi wyth ac ugien munud i naw."

"I be?"

"Gown ni weld i be wedyn. Wedi sgyrsie ddoe 'dech chi'n credu 'i bod hi 'di cyrraedd y Pen-y-Bont yn gynt?"

"Ydan, tua pum munud wedi wyth."

Caeodd Idwal ei hun yn ei swyddfa yn pendroni. Roedd yn mygu ac aeth allan i oerfel y prynhawn i glirio'i feddyliau. Teimlai fod ei ben yn ffrwydro wrth groesi'r parc gwag ac anelu at wal yr harbwr. Diffoddodd goleuadau llachar ffenest Tan Fastic Sunbeds wrth iddo frasgamu heibio a daeth dyn ifanc moel allan o siop Titan Tattoo, cloi'r drws a chamu i'w gar. Roedd y dref yn gwagio wrth ddisgwyl y storm oedd yn cyniwair. Roedd Bob wedi ei gamarwain; na, roedd o wedi dweud celwydd wrtho. Ond oedd o'n llofrudd? Syllodd i'r dŵr a dwyn i gof y cynghorydd a'i law ar Feibl y teulu yn gwadu hynny'n ffyrnig. Ceisiodd gofio'i lais a'i lygaid a'i osgo. Teimlodd y teclyn yn ei boced a'i dynnu allan. Edrychodd o'i gwmpas a'i osod ar ymyl onglog carreg ithfaen yr harbwr a'i daro'n galed â sawdl ei esgid; deirgwaith. Yna, un olwg arall o'i gwmpas, cyn ei daflu i ddyfroedd a llaid y marina.

Dychwelodd at Sion Gwyn ac ymlaen i swyddfa'r Dirprwy oedd heb symud o'i chadair yn ôl pob golwg, a'r un mor ddiamynedd. Doedd dim cyfarchion na chroeso.

"Dave."

"Ie, ffôn Debbie ydi o ac mae 'na *call* i nymbar Robert Hughes *twenty-two fifty-six*. Ac un i mewn gen Hughes am *five forty-seven.*"

Edrychodd ar y ddau arall. Sion Gwyn ddechreuodd.

"Mi es i edrych ar CCTV y dre 'ma ar y nos Sadwrn ac am ddeuddeg munud wedi wyth y nos mae car Hughes yn dod i mewn o'r gogladd. Dydi o ddim yn gadal 'run ffor' ond os ydi o'n mynd am y Cob fysan ni ddim yn 'i weld o." Taflodd Sion Gwyn edrychiad i gyfeiriad Idwal.

"Pam mae Robert Hughes…?"

Bellach roedd llygaid pawb ar Idwal.

"Ddudodd Gwerfyl wrtha i na fydda fo byth yn methu *Casualty*, ond be o'n i wedi'i anghofio oedd 'i bod hi 'di ychwanegu 'fel arfar' fel cwnffon. A ninne'n gwbod bod Debbie 'di cyrraedd y Pen-y-Bont toc 'di wyth mi ddechreuis feddwl lle oedd o 'di bod am… awr? Mi ddoth i'r swyddfa i nôl pres… arian sychion o'r seff… dyna dw i'n feddwl… i'w rhoi iddi."

Roedd Dave wedi deffro drwyddo. "Pam bod o isio mwy o cash? Be 'di'r *going rate* yn Tan-y-graig?" Chafodd ei sylw fawr o ymateb a llai o groeso.

"Wn i ddim, ond 'wrach 'i fod o am ddangos… be wn i, ewyllys da?"

"Ewyllys da! Dyna ti'n galw fo?" gan ysgwyd ei ben yn anghrediniol.

Tro'r Dirprwy oedd hi rŵan.

"Reit. Mae reswm gan Debbie i dod 'nôl i Tan-y-graig yn cynnar. I gael yr arian, efallai. Ie? Mae *opportunity* gan Hughes i fynd i cyfarfod efo hi… a rheswm efallai. Ond pam ydi o'n lladd hi?"

Heb swnio'n orfrwdfrydig cynigiodd Sion, "Ffrae. Yn y fynwent…"

"Os wnaeth Hughes a Debbie gyfarfod, be tase Arwyn 'di dilyn nhw? Gweld y pres… gwylltio…?" Doedd Dave ddim am ildio'n hawdd.

Gwnaeth Lucy Green ystum llugoer i awgrymu bod popeth yn bosib wrth reswm.

"Rydyn ni… rhaid dal Arwyn, *damn it*."

Crwydrodd meddwl Idwal at Bob Hughes yn tyngu llw ac i stad Tai Cynfal, i'r llwybr a'r noson y cyfarfu â Mark yn cael smôc.

"Dw i ddim yn meddwl mai Robert Hughes laddodd Debbie Richards," meddai'r Sarjant.

"Pam lai?" Roedd Dave wedi newid ceffyl am y tro. "*Jilted lover.*"

Roedd Idwal yn ymwybodol ei fod yn cerdded ffin denau iawn. Doedd fiw dweud gormod.

"Mae o'n mynd i'r swyddfa ac yn mentro dod adre'n hwyr. Pam gneud hynny os doedd o ddim am roi'r pres iddi hi? Dw i'n meddwl 'i fod o'n falch bod hi'n mynd."

Syllai Lucy Green arno yn llawn amheuaeth.

"O gyfarfod, rhywle ar y llwybr sy'n mynd o dalcen rhif un Tai Cynfal ac yn dod allan gyferbyn â giât y fynwent fydde hynny. Fysen nhw ddim 'di sefyll dan y gole ond yn uwch i fyny o olwg cefn y tai. Fyse 'na neb 'di gweld nhw." Seibiodd Idwal wrth ddilyn ei drywydd ei hun. "Ond 'tai rhywun yn sefyll yng nghefn y tai ar y pen, 'wrach y bysen nhw 'di clywed lleisie... a nabod y lleisie."

"Pa mor bell ydi tŷ Bob Hughes? Ydi o o fewn clyw, Idwal?"

"'Wrach."

"*God*, pwy ddiawl 'se allan a hithe'n rhewi?" oedd cwestiwn rhesymol Dave.

Lucy Green dorrodd ar y tawelwch.

"Bryn Richards?"

Anadlodd Idwal yn ddwfn. "Giât top yr ardd. Fanno mae o'n ca'l smôc. Bryn byth yn smocio yn tŷ."

"Mae o'n *pissed* o flaen teli." Dave eto.

"Medda fo." Sion Gwyn y tro yma.

"Mae o'n... ro'dd o'n casáu Bob Hughes," ychwanegodd Idwal.

"Pam?" Lucy eto.

"Hen hanes. Tase fo'n meddwl bod 'i ferch 'i hun... a Robert Hughes..." Gadawodd Idwal y frawddeg heb ei chwblhau.

"Dydi Mr Richards ddim yn gallu cario corff i'r mynwent, *could he*?"

"Mark, falla? Wedyn," cynigiodd Sion.

"A lle mae'r pres 'di mynd? Os mai *hopalong* nath, 'di o'm 'di'i wario fo ar *wine, women and song* yn Tan-y-graig, nac 'di, 'ffen?"

Roedd Lucy Green ymhell yn ei meddyliau ei hun.

"Dydi Bryn ddim 'di gadel y tŷ, ers y nos Sadwrn yna, dim ond i gael ffag. A dydi Mark ddim chwaith hyd y gwn i," meddai Idwal.

"Be am y Nokia?" holodd Dave.

"Fel dudis i, rhywun wedi ei osod o yn y car er mwyn... camarwain," cynigiodd Sion heb argyhoeddiad.

"Os ti isio implicetio Hughes, ti'n gadel y ffôn wrth y corff, 'dwyt?"

Bu distawrwydd am sbel cyn i'r Dirprwy godi'n sydyn.

"*Right, let's do it*. Sion, *search warrant* ar rhif dau *asap*. Cymeryd Mr Richards i mewn yma i helpu gyda *inquiries*. Dave, ti'n cymeryd Mark. Mynd trwy popeth yn... araf iawn, iawn. Bryn gyda fi a Sion." Edrychodd Lucy ar ei nodiadau. "DC Pritchard *in charge* o'r *search*, y chwilio, gyda ti, Sarjant. Ti sy'n gwybod y lle. Symud."

Wrth adael roedd golwg amheus ar wyneb Dave. "Wel, Sarjant, well i ti ffindio'r pres 'na, neu 'den ni'n ffycd. I fyny'r Zambezi heb y rhwyf, ynte... a twll yn y blydi canŵ hefyd."

"Diolch, Dave. Cysur mawr."

"Mae 'i fam yn licio fo," oedd sylw Sion Gwyn. "Ond beryg bod o'n iawn. Fydd gynnon ni ddim llwyth o amsar a heb rwbath newydd... mi stician at yr un stori. A 'wrach bod hi'n stori wir."

Roedd hi'n ddiwedd y prynhawn a'r dydd wedi diflannu erbyn i'r gwaith papur gael ei gwblhau. Cynhaliwyd cyfarfod cynllunio fel bod pawb yn ymwybodol o'u dyletswyddau a phwysleisiwyd fod amser yn brin. Dim ond Bryn Richards oedd gartref gan fod Mark heb ddychwelyd o'i gyfarfod yn Nhrawsfynydd. Gwnaed pob ymdrech i beidio cynhyrfu'r dyfroedd ond roedd y warant a phresenoldeb Lucy Green yn arwydd bod rhywbeth ar droed. Dan brotest y gadawodd Bryn Richards ei gartref. Arhosodd Dave gyda chriw y tu allan i ddisgwyl Mark.

Dechreuwyd yn y llofftydd ac anfonwyd plismon ifanc ystwyth i'r atig a oedd, yn wahanol i weddill y tŷ, yn llawn geriach. Roedd un eitem o ddiddordeb i Idwal; ces newydd coch ar olwynion, ces gwag. Cafodd pawb rybudd i osod popeth yn ôl ei le, rhag ofn. Crwydrodd Idwal i'r gegin. Roedd yn gartref trefnus. Agorodd y droriau a'r cypyrddau heb darfu ar ddim. Ar y wal roedd cabinet pren a rhesi o allweddi. Un sbâr i'r car, goriadau Yale, goriadau drws arferol. Aeth i weld pa rai oedd yn ffitio'r drysau cefn a'r blaen. Roedd un goriad Yale a bathodyn clwb Leeds yn sownd wrtho. Allan yn y cefn agorodd ddrws di-glo'r sbensh oedd yn cynnwys peiriant golchi dillad, sychwr, hors ddillad ac ofarôls yn hongian arni. Llond silff o bowdr a hylif golchi dillad, polish a stwff glanhau llawr, bwced a mop. Popeth yn ei le. Cerddodd i fyny llwybr yr ardd at y cwt pren. Clo clap oedd ar y drws ac agorodd ef yn ddidrafferth gyda'r goriad Leeds. Ar ôl ymbalfalu cafodd hyd i'r switsh. Doedd o fawr o gwt ond roedd lle i bopeth. Flymo a llifiau ar y wal, strimar, cribin, fforch, rhaw a thybiau plastig; bwrdd gardd metel a chadeiriau wedi eu plygu ac arogl paent diweddar arnyn nhw.

Ym mhen ucha'r cwt roedd hen fainc bren gadarn a feis yn sownd wrthi. Offer ar y waliau, bocsys a silffoedd trefnus yn llawn tuniau a jariau. Camodd Idwal allan gan ddiffodd y golau a chloi'r drws. Sylwodd fod car Dave wedi diflannu. Canodd ei ffôn. Sion Gwyn oedd yno yn holi. Synhwyrai'r tyndra yn ei lais. Roedd Bryn yn galw am dwrne ac amser yn prinhau. Galwodd ar DC Pritchard ac am blismon gyda chamera. Os oedd y cwt i ddatgelu cyfrinach roedd yn well gwneud yn siŵr bod y dystiolaeth y tu hwnt i bob amheuaeth. Aethpwyd trwy'r holl rigmarôl o agor y cwt a mynd i mewn.

Roedd hi'n gyfyng a safodd Idwal yn y drws. "Mi fydd rhaid agor pob un o'r jarie a'r bocsys, beryg. Ond be am sbio i weld a oes 'na rwbeth... Rhwbeth sy 'di'i osod mewn lle od..." Rhedodd ei fys ar hyd top ffrâm y drws. Dim.

"Be am y bocs tŵls yna, PC?"

"Mae 'na oriad bach fama... ar hoelan, fatha goriad bocs bach." Dangosodd Pritchard y goriad gloyw i'r lleill.

"Sbia, dan y fainc 'na. Haws i ti blygu na hen ŵr fatha fi. Tyd." Gallai Idwal ddychmygu'r awyrgylch yn yr ystafell gyfweld.

"Mae fel Huws Gray 'ma. Tunia paent. *Spirits*. Siswrn. Cuprinol. Prenia. O! Be 'di...?"

Tynnodd focs metel glas allan a'i ddangos i'r lleill.

"Mae o'n ysgafn iawn."

Ysgydwodd Pritchard y bocs a chlywyd sŵn metel yn ratlo. Rhoddodd y goriad bach yn y clo ac agorodd y caead. Yn y sgwariau plastig gorweddai tair sgriw a dwy ffiws.

"Pethe rhyfedd i'w cadw dan glo, 'te." Gafaelodd yn y plastig du a thynnu'r silff allan. Ar waelod y bocs gorweddai amlen frown drwchus. "Wel, wel. Pwy fase'n meddwl? Dal i dynnu llunie plis, PC." Agorodd yr amlen a dangos wad o bapurau ugain punt.

"Gwerth faint, Pritchard?"

"Pedwar... pum cant?"

"Bingo."

Arhosodd Idwal i gloi, gan roi'r amlen yng ngofal y DC gyda rhybudd i beidio stopio am beint ar y ffordd. Siawns nad oedd y cyfan ar ben. Cerddodd i fyny'r llwybr cefn a sefyll ger mynedfa'r fynwent. Roedd y gwynt yn cryfhau a chymylau gwlanog yn gollwng eira mân ar lawr. Safai amlinell onglog ddu Brynhyfryd yn glir ar ben y rhiw. Daeth golau'r stydi ymlaen a safai Gwerfyl yn y drws yn llonydd ystyried ystafell ei gŵr. Daeth braw annisgwyl i'w feddwl. Os oedd gan Debbie un gelyn yn y byd, un person â rheswm i'w chasáu, roedd Idwal yn edrych arni yr eiliad honno. Prysurodd am ei gar a dianc am yr orsaf mewn dychryn wrth i'r ffordd wynnu yng ngolau'r car.

*

Ceisiodd Idwal gofio'r sgyrsiau fu rhyngddynt yn yr wythnos aeth heibio, ond roedd ei feddwl yn mynd i bob cyfeiriad ar unwaith. Yn sydyn teimlodd gefn y car yn llithro. Dychrynodd. Arafodd a sylwi ei fod wrth ymyl y ceunant lle trodd yr achos yn hunllef. Stopiodd y car ger mynedfa cartref y coedwigwr, Glyn Williams. Allai o ddim cyflwyno posibiliad arall i'r tîm heb wneud ffŵl ohono'i hun. Ond efallai y gallai wneud iawn am fethiant arall, os nad oedd yn rhy hwyr. Trodd y car i ddreif

Tŷ Nant. Roedd y lamp uwch y drws yn goleuo'r cowrt lle safai pic-yp a'i flaen yn shitrws ynghanol peiriannau a geriach eraill. Safodd wrth y drws i ystyried beth oedd am ei ddweud pan glywodd lais y tu cefn iddo.

"Be t'isio, Defis bach?"

Safai Glyn yn ei ddillad gwaith, ei wallt hir am ei glustiau a bwyell yn ei law. Edrychai yn fygythiol, a'i wefusau'n dynn yn ei gilydd, ond roedd rhyw ansicrwydd yn ei lygaid. Nid ofn chwaith. Ailadroddodd ei gwestiwn.

Doedd dim pwrpas malu awyr. "Wyt ti'n gwbod lle mae Arwyn?"

Daliodd y coedwigwr i edrych i fyw llygaid y plismon. Llithrodd pen y fwyell trwy ei ddwylo a gorffwys ar y llawr. Gwenodd.

"Wsti be, Defis? Taswn i'n gwbod, ti, 'wrach, ydi'r dyn ola y baswn i'n deud wrtho fo. Pam ti'n gofyn?"

"Ti 'di ateb y cwestiwn yn barod," meddai Idwal.

"Ydw i?"

"Mi fedre fo dy drystio di i beidio'i fradychu o. Mi gymrodd drên i'r Waun a, digwydd bod, roeddet ti yn y cyffinie pan est i nôl y siandri."

"Cael ordors i moyn y pic-yp wnes i. Cyd-ddigwyddiad. 'Dech chi'n rhai tlws, tydech? Be ddiawl oedd Arwyn da yn y parcing bore Sul? Disgwyl ysbryd?"

"Be wn i?"

"Be wn inne? Rhoi pàs i Harry, 'wrach?"

"Rhedeg tacsi rŵan, ydi o?"

"'Di o'm yn rhedeg hers, nac 'di? 'Ŵan, ffwcia hi o 'ma, Defis." A throdd ar ei sawdl am y siediau.

Llyncodd Idwal yn galed. "Glyn. Rhag ofn. Rhwng heno a bore fory mi fydd rhywun wedi ei gyhuddo o ladd Debbie.

Rhywun arall." Safodd y coedwigwr yn stond ond ddywedodd o'r un gair.

"Ti'n dyall? A fues i ddim yma chwaith." Aeth Idwal am y car. Yn y drych sylwodd fod Glyn yn dal i sefyll a'r fwyell yn ei law.

Cyrhaeddodd mewn pryd i weld Sion Gwyn a Lucy Green yn paratoi i wynebu Bryn Richards am y tro olaf ond yn rhy hwyr a rhy ddryslyd i leisio'i amheuon. Anadlodd yn ddwfn a cherdded i ymuno â gweddil y tîm oedd yn edrych ar sgrin oedd yn dangos yr ystafell gyfweld lle roedd Lucy Green, Sion Gwyn a Bryn Richards. Mynnodd Bryn fod ganddo hawl i dwrne.

"Mi gewch chi gyfreithiwr os byddwn ni'n 'ych cyhuddo chi," oedd ateb Sion Gwyn wrth baratoi'r peiriant recordio. Adroddwyd y manylion er budd y peiriant. Y tu allan roedd Idwal Davies yn llythrennol grynu yn ei esgidiau. Tynnodd Sion Gwyn y bocs glas allan a'i roi ar y bwrdd o flaen Bryn.

"Oes gynnoch chi focs tebyg i hwn?"

Syllodd Bryn yn hir ar y bocs ac arwyddo'n amhendant.

"Oes, neu nag oes?" gofynnodd y DS.

"Oes."

Roedd Bryn yn canolbwyntio bellach a'i lygaid yn gwibio o'r bocs i lygaid y ditectif ac yn ôl.

"Lle fyddwch chi'n gadw fo?" gofynnodd Sion Gwyn.

"Lle ffindioch chi o, 'te."

"Jest atebwch y cwestiwn."

"Yn y cwt, top 'rar."

"Be sy yno fo, Mr Richards?" ac agorodd y ditectif y bocs.

"Tair sgriw a dwy ffiws."

"Dim byd arall?"

Bu saib.

"Pres."

"Faint, Mr Richards?"

Saib arall.

"Pum cant."

"Lot o bres i'w gadw mewn bocs mewn cwt yn dop 'rar."

"Fi bia fo. 'Y mhres i ydi o."

"Lle cafoch chi o? 'Dach chi'm yn gweithio, nac 'dach?"

Cododd Bryn ei ben wrth glywed y sarhad, "'Di ffycin gweithio mwy na 'nest ti 'rioed."

Daliodd Sion Gwyn ymlaen yn rhesymol bwyllog, "A tasan ni'n rhoi prawf olion bysadd ar y pres... ar y papura, olion pwy fydda arnyn nhw? Rhywun heblaw 'ych rhai chi?"

Sythodd Bryn yn ei gadair a syllu i lygaid y ditectif, "Bob Hir... Robat Hughes i chdi... fo roth nhw i mi."

Aeth ochenaid trwy'r criw o flaen y monitor wrth i bawb gipio'u gwynt mewn syndod. Gallai Idwal synhwyro ansicrwydd Sion Gwyn.

"Pam, Mr Richards? A phryd digwyddodd hyn?"

Daliai Bryn i syllu i lygaid y plismon ifanc. Aeth eiliadau heibio.

"Werthis i dir iddo fo, 'do. Rhaid i mi. Banc yn cau arna i. Gath fargan. I'r pant y rhed y dŵr a ballu. Welis i 'run geniog. *Sod all*. Syth i'r banc heb dwtsiad yr ochra. Ofynnis i am 'lwc' iddo fo. Bastad teit. 'Sa Bob Hir ddim yn rhoi stêm oddi ar 'i biso i ti. Ond dyna sut ces i'r pres. Iawn?"

Prin bod Idwal yn credu ei glustiau. O ble ddaeth honna?

"Felly, Mr Richards. I mi gael hyn yn glir, mae olion 'ych bysadd chi ar y pres a rhai Mr Hughes. Ydw i'n iawn?"

Roedd gwefusau Bryn bellach wedi eu cau'n dynn. "A Debs."

"Olion bysedd Debbie hefyd? Sut hynny?"

Llyncodd Bryn yn galed, "Hi gyfrodd y pres. Yn tŷ. Tsiecio nhw. 'Di arfar."

"Os oedd Debbie yn gwbod am y pres pam 'ych bod chi'n cuddio nhw yn y sied? I be?" gofynnodd y DS.

Cododd Bryn ei ysgwyddau.

"Rydan ni'n credu, Mr Richards, mai wsnos i nos Sadwrn ddoth y pres 'ma i chi. 'Ych bod chi 'di clywad Debbie a Mr Hughes yn sgwrsio ar y llwybr yn hwyr y nos a'ch bod chi a Debbie wedi cael ffrae wedi iddi gyrraedd adre..."

"Clwydda. Ro'n i'n cysgu yn gadar. Welis i mo Debs. Welis i moni. Reit? Welis i moni." Trawodd y bwrdd o'i flaen â'i ddwrn.

Roedd Sion Gwyn yn sefyll ar dorlan simsan. Felly hefyd yr achos yn erbyn Bryn. Suddodd calon Idwal.

"Dŵr, Mr Richards... diod?" Lucy Green oedd yn siarad a'i llais yn gyfeillgar. "Mae hwn yn anodd iawn i ti, rydw i'n gwybod." Estynnodd amlen fawr allan wrth i Sion symud y blwch.

O'r amlen tynnodd ffurflenni a gosod un o flaen Bryn. Roedd wedi paratoi ei sylwadau ar bapurau o'i blaen.

"Dyma'r adroddiad *autopsy* ar dy merch, Debbie. Wyt ti eisiau amser i darllen o?"

Ysgydwodd Bryn ei ben yn nacaol.

"Mae'r *autopsy* yn dweud bod Debbie wedi cael un ergyd ar ochor y pen ac un arall gyda *blunt instrument* ar y ochor arall... neu mae hi wedi taro yn erbyn rhywbeth caled, peipen neu carreg... Wedyn mae hi'n syrthio a taro cefn y penglog, Mr Richards?"

Roedd llygaid Bryn ynghau a'i ben yn gwyro i'r ochr.

"Mae'n pwysig ti'n deall beth dw i'n dweud. Mae Debbie wedyn yn cael... gwaedlif ar yr ymennydd." Darllenodd

Lucy Green y geiriau yn ofalus. "*Haemorrhage on the brain.*"

"Dw i'n gwbod hyn, tydw." Roedd Bryn fel pe bai wedi adfeddiannu ei hun. Trodd Lucy Green ei phen at ei phartner, Sion Gwyn.

"Yr hyn dydach chi ddim yn 'i wbod, Mr Richards, ydi na ddaru Debbie farw yn syth. Mi fuodd fyw am awr arall, o leia awr, wedi iddi gael ei tharo."

Rhythai Bryn arno.

"Clwydda. Ti'n deud clwydda'r bastad."

"Nac ydi, Mr Richards. Mae o'n dweud y gwir. Mae hi'n noson oer iawn, ac mae'r corff yn mynd i *stasis*... popeth yn arafu lawr, y calon, pob peth. Roedd Debbie yn byw..."

"A tasach chi wedi galw ambiwlans bryd hynny mae'n debyg iawn y bydda Debbie yn fyw heddiw. Dyna ydi'r gwir."

Dadfeiliodd wyneb Bryn Richards o'u blaenau. Cododd ei ddwylo dros ei ben a daeth sŵn udo, fel ci wedi'i glwyfo, o grombil ei fod. Anadlodd Idwal yn ddwfn a lledodd rhyddhad trwy ei gorff. Cydiodd mewn cefn cadair i sadio'i hun.

Yn yr ystafell gyfweld roedd Bryn wedi codi ei ben a thrwy ei igian crio ebychodd, "Y bastad, Bob Hughes... prynu bob dim, prynu Debs... do'n i'm yn trio... wir, wir yr... dal y pres o dan 'y nhrwyn... do'n i'm yn trio... gwylltio 'nes i... fi magodd hi... a 'ngadal i fel'na... fi... fi magodd hi." Plygodd yn belen, ei ddwy law dros ei ben, a beichio crio.

Darllenodd Sion Gwyn y cyhuddiad ffurfiol bod Bryn Richards yn gyfrifol am farwolaeth ei unig ferch trwy ei tharo, ynghyd â'i hawliau, ac aed ati i drefnu datganiad. Gadawodd Lucy Green i fynd i wynebu Mark Richards yn hunanfeddiannol fel chwaraewr gwyddbwyll yn symud at y *checkmate*. Doedd dim dathlu yn y swyddfa. Roedd y cyfan ar ben am y tro, trefniadau i'w gwneud a chelloedd i'w paratoi.

Ar ôl cyflawni ei ddyletswyddau, a diolch i hwn a'r llall, trodd Idwal am y grisiau. Daeth Lucy Green i'w wyneb o'r ystafell gyfweld arall.

"Diolch, Sarjant."

"Llongyfarchiade i chi."

"Ni, Sarjant. Ni."

"A Mark?"

"Aeth o'n boncyrs ar ôl clywed am y *cash*. Ond ei syniad o ydi symud y corff. I *protect* y tad. Pam? Dw i ddim yn gwybod."

"Mae o'n meddwl y byd o'i dad. Roedd Debbie hefyd. Dyna'r tristwch. Fo oedd wedi bod yno iddyn nhw, beth bynnag oedd o, neu ydi o. A'r ffôn? Fo osododd o yng nghar Bob Hughes?"

"Mae o'n dweud na. A dw i'n meddwl mae o'n dweud y gwirionedd. Dw i'n meddwl bod Mr Hughes yn wedi cymeryd y ffôn yn y bore. *Incriminating evidence*. Ond, beth bynnag... Diolch. Gweld ti fory. Ond dim yn cynnar iawn."

Trodd i fynd ac yna stopiodd. "Rhaid bod Richards yn *really* casáu Hughes i wneud beth mae o'n gneud."

"Oedd. Ond y peth ola ddeudodd o wrthach chi oedd... 'a 'ngadal i'... Dyna wthiodd o dros y dibyn; bod Debbie am ei adel. A p'run oedd o'n meddwl ei bod hi'n gadel efo Bob neu beidio, wn i ddim, a dydi o ddim o bwys bellach."

Cerddodd Idwal i lawr y grisiau yn araf gan gau ei gôt. Byddai'n oer y tu allan a hithau'n oriau mân y bore. Yn y fynedfa roedd golau llachar y stribedi neon yn brifo'i lygaid a chaeodd ei amrannau wrth chwilio am oriadau'r car.

"Fyswn i ddim yn gyrru adre, syr." Daeth llais Carys o ddrws y swyddfa. "Mae'r lôn fel gwydr a dydyn nhw ddim 'di bod yn graeanu eto. Geith un o'r hogie roi pàs i chi. Wir i chi, mae'n beryg bywyd."

Ystyriodd am eiliad ac yna gwenu arni, "Diolch am y rhybudd."

Roedd hi eisoes yn codi'r ffôn.

"Gerdda i. 'Neith les i mi. Clirio'r pen. Mae fel meipen."

Roedd cap neu ddau a het ar fachyn ger y drws, rhai wedi eu gadael gan y cleientél. Cipiodd Idwal gap pêl-fas a'i daro ar ei ben. Edrychodd Carys arno'n hurt.

"Siwtio fi? Ddo i â fo 'nôl fory. Nos da a diolch eto."

"Wnewch chi ddim cerad?"

Ond roedd o eisoes ar ei ffordd drwy'r drws. Y tu allan roedd hi'n pluo'n drymach fel roedd y rhagolygon tywydd wedi'i ddarogan, ac awel yn codi. Dan draed roedd hi'n llithrig a chamodd yn ofalus i'r stryd. Cerddodd Idwal trwy'r parc a stopio wrth flwch ffonio. Tynnodd ddarn o bapur o'i boced a deialu. Ymhen amser daeth ateb.

"Paid â deud dim. Mae rhywun wedi ei gyhuddo heno o ladd Debbie Richards... 'Di o'm otsh pwy. Y peth calla i Arwyn neud, yr unig beth, deud gwir, ydi rhoi 'i hun yn nwylo'r heddlu bore fory, efo twrne. A chymyd 'i fod o'n fyw. Gair i gall." A rhoddodd y derbynnydd yn ei grud.

Hannerfforddifyny'rrhiwroeddyndifarueibenderfyniad. Camai yn fyr rhag cael sglefr ac aeth i anadlu'n drwm yn yr ymdrech i gadw ar ei draed a chadw'i gyflymder. Roedd hi'n bwrw'n drymach erbyn hyn ac yng ngolau lamp y stryd o'i flaen gwelai'r plu eira yn disgyn fel dail diwedd hydref ar yr awel. Cofiai Idwal ddarllen rywdro bod pob pluen yn gyfuniad o risialau iâ wedi eu ffurfio trwy'r un broses gemegol ond bod pob un yn unigryw ar yr un pryd. Cydiai'r plu yn ddidrafferth ar wyneb sych y ffordd. Ymhell islaw, fel byd arall, adlewyrchai lampau'r marina o gylch dyfroedd du yr harbwr.

Cyrhaeddodd yr eira o'r dwyrain yn gynt na rhybudd y rhagolygon ac roedd i gwympo dros y gogledd i gyd yn ôl y darogan, o Fryniau Clwyd draw dros Hiraethog cyn taro Eryri a Llŷn hyd yn oed cyn y bore. I fyny ar fawnogydd y Migneint byddai'r plu fel gwlân cotwm yn gorwedd yn drwch ar y corsydd ac ar ffermdy Llidiart y Mynydd, lle roedd hen wraig ofidus a'i byd wedi troi wyneb i waered. Byddai Gwerfyl Hughes hithau yn deffro i fyd diarth, distaw bore fory, meddyliodd Idwal yn euog. A dim ond distawrwydd fyddai'n llenwi ystafelloedd rhif dau Tai Cynfal a neb ond y llygod i fwyta'r holl fwydiach a gyfrannwyd mewn cydymdeimlad.

Unwaith iddo gyrraedd crib yr allt gallai synhwyro'r môr o'i flaen yn y nos a chyflymodd ei gam. Teimlai'r chwys yn oeri ar ei gefn wedi'r ymdrech ac roedd diferion o ddŵr yn dechrau treiglo yn araf dan ei goler. Camgymeriad fu cerdded yn y ffasiwn dywydd a phan lithrodd gwadn ei esgid ar yr eira cafodd godwm blêr, afrosgo. Wrth geisio achub ei hun trodd ei fraich o dan ei gorff trwm a thrawodd ei ben-glin ymyl y palmant.

"Bastad gwirion," ebychodd mewn poen.

Cymerodd rai munudau iddo benderfynu nad oedd dim wedi torri, cyn codi ar ei draed a hercio am adref heibio'r ffenestri dall gan deimlo'n llai nag arwr. Fuodd o erioed mor falch o weld drws cefn y tŷ a chamodd i mewn yn ofalus rhag deffro Llinos.

Roedd golau isel ymlaen yn y lolfa ond aeth i ddiosg ei gôt a'i sgidiau gwlyb cyn bachu tywel i sychu rhywfaint arno'i hun. Gwrandawodd yn astud am sŵn o rywle ond roedd hi fel y bedd. Cerddodd yn araf ac yn betrus at ddrws y lolfa. Roedd Llinos yn gorwedd yn llonydd yn y gadair freichiau mewn gŵn nos mawr llwyd. Roedd hi'n welw ac aeth ei lygaid yn syth at y gwydr ar y bwrdd dan y lamp. Aeth cryndod drwyddo. Camodd ati, codi'r gwydr a'i arogli. Dim byd. Trodd i chwilio am arwydd o dabledi neu botel. Syllodd i wyneb ei wraig mewn dychryn.

"Llin?"

Agorodd hithau ei llygaid, troi ei phen ac mewn llais bloesg ond digyffro gofynnodd,

"Lle ti 'di bod?"

Camodd yn ôl ac yn ei banig bu bron iddo golli ei limpin a dweud y drefn am iddi aros ar ei thraed, nes iddo sylweddoli'n sydyn mai'r gwrthwyneb oedd yn wir. Roedd ei chael hi yno'n disgwyl amdano yn golygu popeth iddo fo; heno o bob noson. Cododd Llinos yn ansicr i'w freichiau.

"Rown i'n poeni amdanat ti. Ych, ti'n 'lyb... ac yn oer."

"Cerdded wnes i. Mistêc."

"Y dyn gwirion i ti."

Gafaelodd amdani ac anwesu'i chorff dan y defnydd meddal. Yn ddisymwth daeth golau allanol y portsh ymlaen. Llwynog neu gath drws nesa, mae'n siŵr. Gwelai fod yr eira'n disgyn yn drwm bellach a chlywai ru isel y tonnau'n taro o bell ar y creigiau. A thu hwnt i'r twyni a'r traeth gwag, yn y tywyllwch roedd y plu eira yn syrthio, yn syrthio'n fyddin dawel cyn suddo i'r môr.

"A' i i neud paned. A dos i newid cyn i ti glemio'r lolyn."

Llithrodd ei wraig o'i afael gan ei adael ar ei ben ei hun. Gwenodd o glywed y gair 'clemio'; gair tlws, dylanwad ei mam, o Faldwyn. Diffoddodd y golau allan ohono'i hun gan ei adael yn edrych ar gysgod ei adlewyrchiad yn y ffenest wydr.